ATENÇÃO PLENA E VISÃO AMPLA

ATENÇÃO PLENA E VISÃO AMPLA

MEDITAR E TRANSFORMAR

ELEONORA ISSLER MARSIAJ

EDITORA
Labrador

Copyright © 2019 de Eleonora Issler Marsiaj
Todos os direitos desta edição reservados à Editora Labrador.

Coordenação editorial
Diana Szylit

Projeto gráfico, diagramação e capa
Felipe Rosa

Revisão
Daniela Georgeto
Diana Rosenthal

Imagem da capa
Boris Baldinger / www.unsplash.com

Dados Internacionais de Catalogação na Publicação (CIP)
Andreia de Almeida CRB-8/7889

Marsiaj, Eleonora Issler
  Atenção plena e visão ampla : meditar e transformar / Eleonora Issler Marsiaj. -- São Paulo : Labrador, 2019.
  216 p.

ISBN: 978-85-87740-53-3

1. Meditação 2. Corpo e mente 3. Shamatha 4. Vipassana I. Título.

18-2173   CDD 158.128

Índices para catálogo sistemático:
1. Meditação 2. Corpo e mente 3. Shamatha 4. Vipassana

EDITORA Labrador

Editora Labrador
Diretor editorial: Daniel Pinsky
Rua Dr. José Elias, 520 - Alto da Lapa
05083-030 - São Paulo - SP
+55 (11) 3641-7446
contato@editoralabrador.com.br
www.editoralabrador.com.br

A reprodução de qualquer parte desta obra é ilegal e configura uma apropriação indevida dos direitos intelectuais e patrimoniais da autora.
A editora não é responsável pelo conteúdo deste livro.

Dedico este livro à professora Lia Diskin, cofundadora da Associação Palas Athena, educadora e construtora da Paz.

Agradeço ao meu marido, Oddone, pelo amor compartilhado nas seis décadas de convivência, por seu interesse no conhecimento e pelas inúmeras vezes em que me salvou de problemas com o computador!

Gratidão às filhas Angela e Henriqueta, às netas Laura e Julia, Gabriela e Amanda, pelo incentivo e alegria, na aragem renovada que nos proporcionam.

Um especial obrigada à Angela, que de forma incansável e dedicada acompanhou o desenvolvimento dos textos deste livro, dando sequência e leveza às ideias.

"Então, quais são exatamente essas necessidades não satisfeitas, e como podemos descobri-las e atendê-las? De forma crônica e trágica, uma multiplicidade de necessidades humanas básicas não são atendidas na sociedade moderna. Entre elas está a necessidade de expressar os próprios dons e fazer um trabalho significativo, a necessidade de amar e ser amado, a necessidade de ser verdadeiramente visto e ouvido, e ver e ouvir outras pessoas, a necessidade de conexão com a natureza, a necessidade de brincar, explorar e se aventurar, a necessidade de intimidade emocional, a necessidade de servir a algo maior que a si mesmo, e, por vezes, a necessidade de fazer absolutamente nada e apenas ser."

Charles Eisenstein, *O mundo mais bonito que nossos corações sabem ser possível,* São Paulo, Palas Athena, 2016, p. 181.

SUMÁRIO

I. ANTES DE PRATICAR 12
   1. O QUE É MEDITAÇÃO.. 13
   2. COMO MEDITAR 18

II. MÉTODO SHAMATHA 22
   3. MENTE SERENA E ATENÇÃO PLENA 23
   4. POSTURA CORRETA, MAS SEM TENSÃO 27
   5. RELAXAMENTO 34
   6. RESPIRAÇÃO, ELEMENTO FUNDAMENTAL 40
   7. O USO DO TEMPO 44
   8. SUPERANDO OBSTÁCULOS 48
   9. APENAS CONSTATAR, SEM JULGAMENTO 56
   10. APROFUNDANDO SHAMATHA 61
   11. APROFUNDANDO A RESPIRAÇÃO 68

III. VARIAÇÕES DA PRÁTICA 71
   12. CONDIÇÃO PRAZEROSA 72
   13. MENTE COMO FOCO 76
   14. OBJETOS EXTERNOS COMO FOCO 82
   15. BEM COLETIVO 87
   16. PAZ, SAÚDE, FELICIDADE 97
   17. RETIRO PROLONGADO 101

IV. MÉTODO VIPASSANA 108
   18. MEDITAÇÃO VIPASSANA 109
   19. VISÃO ANALÍTICA 112

20. VISÃO REFLEXIVA 117
21. MAS "EU" NÃO EXISTO? 125
22. PRÁTICAS REFLEXIVAS 129
23. PERCEPÇÃO MAIOR 136

V. TRANSCENDÊNCIA 141
24. CLASSIFICAÇÃO GERAL DAS PRÁTICAS
SHAMATHA E VIPASSANA 142
25. CONTINUANDO 149

APÊNDICES 154
1. QUEM PODE E DEVE MEDITAR 155
2. BENEFÍCIOS DA MEDITAÇÃO 159
3. O QUE SE PASSA ENQUANTO MEDITAMOS 164
4. FATOS E MITOS 167
5. ORIGENS DA MEDITAÇÃO 170
6. MEDITAÇÃO E RELIGIÃO 174
7. OUTRAS FORMAS DE MEDITAÇÃO 183
8. MINDFULNESS 193
9. OUTROS CAMINHOS PARA A TRANSCENDÊNCIA 195
10. ROTEIRO DA MEDITAÇÃO BÁSICA 199

BIBLIOGRAFIA 209

I. ANTES DE PRATICAR

1. O QUE É MEDITAÇÃO

Percurso para desenvolver foco e atenção plena
Meditar faz bem e é prazeroso, embora muitos duvidem disso. Imaginam o meditador[1] como uma pessoa imóvel por horas, sentada no chão de pernas cruzadas. Tem os olhos semicerrados e um pequeno sorriso. A imagem caricata lembra uma postura comum da meditação, mas não se deixe enganar por ela. Meditar é muito mais. Em primeiro lugar, é um percurso.

Desenvolver *foco e atenção plena* tem algo de aprender a tocar um instrumento. Sem a base técnica, fica mais difícil produzir música e dela extrair prazer. Não basta ouvir ou ler uma explicação para já tocar em seguida. A técnica só se torna clara quando acompanhada do treino assíduo.

O objetivo deste livro é oferecer um caminho para o hábito salutar da meditação que seja prático, mas embasado no conhecimento da técnica; que seja técnico, mas de consulta rápida, com exemplos de atividades e informações úteis aos exercícios.

E o que significa meditar? A essência é simples: meditar é serenar a mente por meio da atenção a um foco. Ao se atentar para a própria respiração ou para um outro e único objeto, o meditador coloca-se inteiramente presente no local e momento em que se encontra, e assim essa técnica milenar vai transformando o ato de sentir ou pensar em algo cada vez mais tranquilo e focado. A meditação poderá também atender ao objetivo fundamental de reconhecer-se melhor e de identificar seus padrões mentais.

---
[1]. Ao longo deste trabalho, o uso da forma masculina segue o padrão da língua portuguesa e designa qualquer indivíduo, homem ou mulher.

O meditador alcança centralização interior e maior percepção intuitiva, atributos indispensáveis para se contrapor ao modo agitado, superficial e ansioso em que se encontram nossas emoções e pensamentos, tantas vezes fragmentados pelas múltiplas demandas do cotidiano.

Técnicas meditativas
Neste livro fazemos uma combinação de duas técnicas meditativas complementares. Originam-se no yoga e no hinduísmo e foram posteriormente desenvolvidas pelo budismo. Começamos por *shamatha* (lê-se xâmata), que prioriza a atenção no dia a dia. Em seguida, apresentamos *vipassana* (lê-se vipássana), que destaca a rede interligada e impermanente da existência.

Shamatha, palavra sânscrita da antiga Índia, significa permanecer com a mente calma e alerta. Essa técnica desenvolve atenção, aquieta a mente ansiosa e traz o meditador para o *agora*, ou seja, o momento presente.

Vipassana, ou *vipashyana* (vipaxiana), vem do sânscrito e do páli, respectivamente, línguas antigas do norte da Índia. Seus significados se desdobram: quer dizer *visão interior* acompanhada de percepção intuitiva e de *visão ampla* sobre a natureza da existência, mutável e interdependente. Além disso, refere-se ao discernimento claro e imparcial que a pessoa passa a ter sobre as circunstâncias e sobre si mesma.

Com o conhecimento e a utilização das duas técnicas meditativas, percebemos o quanto somos parte de uma rede unida a todos os seres e a toda a matéria. Superamos a autorreferência narcísica. Desenvolvemos uma saudável interação com os seres e influímos de forma positiva sobre o ambiente que nos cerca. Diminuímos nossa intolerância e nosso preconceito.

Assim, melhoramos nossa relação com a vida. Aprofundamos os valores e princípios éticos e caminhamos para uma transformação interior. O círculo virtuoso iniciado com a atenção plena e a consciência do todo resulta em maior *sensibilidade espiritual*.

> **CONCEITO | ESPIRITUALIDADE**
>
> O termo espiritual neste livro significa "elevado e sublime", e não está necessariamente ligado às crenças, à fé religiosa, a ideologias, a rituais ou a algum misticismo; poderia ser associado ao "sagrado" da existência. A espiritualidade é algo natural e espontâneo no ser humano e pode ser vivenciada em maior ou menor grau.

Apresentamos até o capítulo 11 as primeiras informações e práticas de postura, relaxamento e respiração. Esse tripé é a base do bom desempenho da meditação com informações direcionadas principalmente ao iniciante e aos que procuram mais esclarecimentos, como a superação de obstáculo físico/mental durante a meditação. Ao seguir as orientações aqui apresentadas, qualquer pessoa, religiosa ou não, poderá praticar os ensinamentos.

Os capítulos 12 a 23 tratam da condição prazerosa que a meditação oferece, os conhecimentos mais adiantados sobre a natureza da existência interdependente e impermanente, o fluxo impessoal, a visão analítica e a reflexiva, os estados da consciência e a transformação interior. Neles também apresentamos o mantra pessoal, a atenção ao bem coletivo e orientações sobre o retiro prolongado. As informações vão muito além de postura física e atitude mental, propondo qualidade e motivação para a prática.

Nos capítulos 24 e 25, descrevemos diferentes tipos de meditação, o estado mental transcendente ou além da interferência do ego, e o estado de alegria e felicidade.

> **NOTA | CONTROLE MENTAL**
>
> Quando se fala em meditação, a primeira pergunta do interessado é: "A meditação esvazia a mente de pensamentos e aflições?".
>
> As técnicas shamatha e vipassana não visam esvaziar o cérebro de qualquer pensamento no início de seu aprendizado. O treinamento básico para o novato é o de prestar atenção à sua respiração e postura, e identificar a presença de um pensamento quando este surge. Logo após a identificação do pensamento, emoção ou sentimento, o meditador volta sua atenção para a respiração e a postura, tantas vezes quantas forem necessárias.
>
> Tal medida — análoga à repetição efetuada em exercícios musculares do corpo — serve para alcançar controle mental e treinar o cérebro a estar no agora. Esse comando interno irá balizar os pensamentos, diminuir a frequência de seu retorno e impedir o enredo emocional durante a meditação.
>
> Note, porém, que uma das finalidades posteriores e avançadas da meditação shamatha e vipassana será o de permanecer, por algum tempo, em silêncio mental e com a "mente vazia"

> (assim mencionado usualmente) de pensamentos, preconceitos e condicionamentos.

Os apêndices ao final do livro, por sua vez, trazem diversas informações sobre a meditação, como quem pode e deve meditar, os benefícios da prática, as origens da meditação e suas diferentes formas: nas religiões, no yoga tântrico, no zen japonês, no tao chinês, na meditação transcendental e no *mindfulness* ou o conceito de "estar no presente".

Após algum tempo de prática meditativa, você verá a alegria se instalar e o cotidiano se enriquecer com as técnicas de foco e atenção plena às circunstâncias, ao próximo e a si mesmo. Por fim, para os que desejam se aprofundar em cada assunto, incluímos uma bibliografia das obras consultadas.

Boa leitura e bons treinos!

2. COMO MEDITAR

Evolução gradual

Como qualquer treinamento, a atividade meditativa requer dedicação firme e constante. Se você for iniciante, siga o percurso gradual dos capítulos do livro e não salte nenhum. Internalize as orientações aos poucos: não as siga mecanicamente como se fossem uma receita. De duas semanas a um mês de prática continuada costuma ser o suficiente para se familiarizar com elas.

Aproveite os dez apêndices reunidos ao final do livro para complementar seu conhecimento sobre a meditação. Diferentemente dos capítulos, os apêndices podem ser consultados em qualquer ordem e a qualquer momento. Sinta-se à vontade para explorá-los e adquirir novas e úteis informações sobre a prática e a história da meditação.

<u>Quando meditar</u>

O melhor horário para meditar é ao despertar ou antes das refeições — nunca depois de alimentação pesada. Se for iniciante, não pratique antes de dormir, pois provavelmente adormecerá logo no início, e cuide para não estar em jejum há mais de treze horas. O jejum prolongado pode ocasionar no principiante de meditação alguns clarões de luz ou a visualização repentina de imagens.

<u>Onde meditar</u>

Medite em local reservado: tranquilo, longe de ruídos estridentes e de movimento. Se for impossível evitar o barulho, considere-o como parte da meditação e aceite-o sem crítica ou diálogo interno. Se não conseguir superar a distração do ruído mais forte, considere tampões de ouvido, mas só como medida temporária; dispense-os assim que puder. Se o único local reservado for sua própria cama, não há problema; mas não se deite, ou dormirá.

O ideal é que a temperatura e a intensidade de luz sejam moderadas, para evitar a dispersão mental ou a sonolência.

O que vestir
Use roupas confortáveis, de tecido macio e adequadas à temperatura, de cintura e gola largas ou frouxas. Xale e meias são peças recomendáveis por sua praticidade: são fáceis de serem sobrepostas ou retiradas, de acordo com a necessidade.

O quanto meditar
A duração recomendada para a atividade completa varia de acordo com a experiência do praticante, como elencado a seguir:

* **iniciantes:** não devem passar de dez minutos no total — incluindo relaxamento e/ou alongamento, verificação de postura e treino de respiração consciente — nem forçar as articulações;
* **intermediários:** após cerca de duas semanas a um mês com treinamentos diários, o praticante tem condições de meditar entre dez, vinte ou trinta minutos, desde que não tome a prática como um fardo;

* **avançados:** praticam de vinte minutos a algumas horas. Porém, após cerca de quarenta minutos a uma hora e meia, intercalam a prática com intervalos regulares de até cinco minutos. Durante qualquer meditação prolongada, sempre haverá sutis movimentos voluntários e intermitentes do corpo para restabelecer a postura e o conforto.

É importante observar que um breve compromisso diário com a meditação vale mais do que muito tempo de prática com frequência irregular. Se aparecerem dificuldades e desconfortos, não desista. Constate-os, reconheça-os e retome a prática, sem autocríticas ou análises. Lembre-se de que a prática da meditação é um processo contínuo e evolutivo, sem linha de chegada. Manter-se no curso já é parte do caminho para vencer os obstáculos.

> 😊 PRÁTICA | **PRESENÇA CORPO/MENTE — UMA AMOSTRA**
>
> *A atividade a seguir ainda não é caracterizada como meditação. É um primeiro passo para treinar a atenção e desenvolver o hábito de focar. Ela oferece uma amostra do que é serenar a mente, respirar com tranquilidade e perceber sua presença no agora.*
>
> *Em silêncio, sinta como está seu corpo, sem a preocupação de se sentar em postura meditativa. Traga a atenção para a respiração, para o local onde você se encontra, para seu campo visual — com os olhos abertos ou semiabertos —, para os sons que ouve e os cheiros que sente. Perceba o momento presente por cerca de um a dois minutos. Respire e relaxe. Após ler e*

> praticar essa breve instrução, feche os olhos por dez segundos para ter a percepção da presença corpo/mente. Procure se dar conta desse instante. Perceba-o sem expectativa, censura ou constrangimento. Rememore e execute a rápida experiência algumas vezes ao dia.

A prática em grupo

Também é possível meditar em grupo, uma prática muito salutar. Nas grandes cidades, há inúmeras instituições que oferecem a atividade em horários e locais adequados.

A meditação em grupo ao menos uma vez por semana estimula a prática diária individual. No grupo, é comum haver um instrutor que orienta as atividades. O início da prática, por exemplo, é sinalizado com uma batida de gongo (ou outra sinalização, como o estalar de dedos), e o término, com duas batidas (ou dois estalos).

Os comentários e a troca de experiências entre os participantes poderão incentivar a prática; mas é importante evitar a exigência de relatórios verbais, ou o comparecimento semanal obrigatório, pois, ao invés de incentivar a participação, poderá desestimulá-la.

Embora motivadora para iniciantes, a figura do instrutor não é necessária para a prática em grupo. Se preferir, é possível reunir duas ou três pessoas e praticar de acordo com as informações contidas neste livro.

II. MÉTODO SHAMATHA

3. MENTE SERENA E ATENÇÃO PLENA

O momento *agora* como objeto de foco e atenção
Neste capítulo tratamos da vivência do momento agora. A prática shamatha possibilita a vivência do agora apoiada em um tripé bastante simples: sentar-se em postura ereta, permanecer relaxado e prestar atenção à respiração. Ao combinar esses pilares — postura, relaxamento e respiração —, começamos a alimentar um círculo virtuoso.

Shamatha é utilizada em diferentes escolas meditativas, tanto leigas quanto religiosas. Na meditação, assim como na vida cotidiana, essa técnica ou método desenvolve a capacidade de foco e de atenção continuada. Com ela, a mente se aquieta e algo de fundamental ocorre: passamos a viver no agora, que é sempre novo e pleno de possibilidades. Evoluímos na *qualidade* da prática e nos aproximamos cada vez mais da estabilidade mental, física e emocional.

O ser humano com frequência se encontra fora da vida presente: ora sua mente relembra cenas do passado, refazendo diálogos e revivendo situações, ora está no futuro, organizando horários e antecipando ansiosamente diversos tipos de ações. Em oposição a isso, a maioria das práticas de meditação solicita a presença constante no momento atual.

Vivenciar o agora, seja qual for, é salutar e construtivo para a organização emocional. Nele, o meditador se liberta de narrativas recorrentes e destrutivas do passado, livra-se de problemas atuais criados ou ampliados pela própria mente e neutraliza a ansiedade desnecessária quanto a situações futuras. Ao treinar a mente no agora, salvamo-nos de fantasias infrutíferas, de desejos ilusórios, de condicionamentos e de imagens negativas, confiando que a mente treinada é capaz de avistar alternativas ou possibilidades favoráveis à sua vida.

Assim, mesmo que seu atual agora seja de dificuldades, vale a pena aceitar essa contingência, sem, no entanto, se confundir ou se identificar com cada evento negativo. A consciência do agora impede que a pessoa se coloque como centro do infortúnio, e interrompe a tendência de pensar só em si nas diversas situações.

Porém, se o período for alegre ou ameno, as práticas shamatha e vipassana desenvolvem a consciência desses momentos favoráveis e facilitam sua fruição de forma plena. Nesse caso, confirmam-se os estímulos construtivos e os sentimentos de gratidão pelas circunstâncias positivas.

CONCEITO | O PRESENTE

O presente é a única experiência humana real. Cada instante do agora não se repete, porque ele está sempre a acontecer. Por essa razão, o presente é novo e pleno de possibilidades. Como um paradoxo, a vivência do momento presente permanece no interior da impermanência da vida.

O agora não nega as múltiplas experiências anteriores e tampouco desestimula a busca por um propósito ou objetivo; e, ainda, proporciona um sentido ou valor no viver.

☺ PRÁTICA | **PRESENÇA CORPO/MENTE**

Esta é a mesma atividade apresentada no capítulo 2. O objetivo é aprofundar-se nela valendo-se de mais tempo, cerca de cinco minutos. Desta vez, deixe os olhos semiabertos — e não fechados como antes. Convém utilizar um timer ou marcador de tempo nas primeiras práticas.

Em silêncio, sinta ou perceba como está seu corpo. Inspire e expire naturalmente. Traga a atenção para o constante tempo presente, para o agora que sempre se apresenta. Deixe os olhos semiabertos por cerca de dois a cinco minutos, percebendo a presença corpo/mente. Procure se dar conta deste momento, sem censura, expectativa ou constrangimento. Rememore a experiência e execute a prática por mais uma ou duas vezes durante o dia.

☺ PRÁTICA | **ATENÇÃO AOS AFAZERES COTIDIANOS**

Esta atividade é voltada para a vida cotidiana. Trata-se de um hábito muito útil que valida e atualiza o treino de atenção no agora. O objetivo é transpor a atenção plena e o foco para os afazeres do dia a dia. Você perceberá qual é o nível de sua atenção, somente para constatar se é baixo, médio ou alto.

Como na meditação, exercite a consciência do momento agora em suas atividades diárias e nos atos rotineiros, isto é, esteja presente e centrado em cada ação cotidiana.

Tomemos o exemplo da alimentação. Durante esse momento, aguce os sentidos. Preste atenção aos ingredientes utilizados, ative a visão, o olfato e o paladar para a variedade de cores, sabores, temperatura, odores e textura. Dedique-se também a realizar um número maior de mastigações. Assim, o ato de comer será mais atento e tranquilo, auxiliando a digestão.

Faça o mesmo em outros atos cotidianos, como vestir-se, escovar os dentes, fechar gavetas, apagar luzes, fazer faxina, cuidar do jardim, trabalhar, cozinhar, caminhar, praticar exercícios físicos e dirigir veículos. Procure fazê-los com calma, cada um a seu tempo, sem se sobrecarregar, mesmo que a vida nos condicione ao hábito da multitarefa ansiosa.

Dedique-se, principalmente, a ouvir e dar atenção ao outro de forma relaxada e gentil. Com esse hábito benéfico e providencial, o retorno positivo de atenção recíproca será imediato.

Ao viver o momento com serenidade e atenção plena, atende-se a este importante objetivo da meditação: a presença no agora.

4. POSTURA CORRETA, MAS SEM TENSÃO

A postura como objeto de foco

A postura é um dos pilares da meditação básica, pois permite boa circulação sanguínea, respiração livre e auxilia a relaxar o corpo. Também garante maior resistência e conforto, o que é muito importante para as práticas que supõem longos períodos numa mesma posição.

Este capítulo 4, que versa sobre a postura, e os seguintes, 5, 6, e 7, que orientam sobre relaxamento, respiração e uso do tempo, são direcionados para o interessado inicial em meditação. Porém, será interessante o meditador habitual confirmar as indicações contidas aqui por meio da leitura dos capítulos mencionados.

Tronco e pernas

Para a meditação estática — aquela que se faz com o corpo parado —, há diferentes opções de postura; em todas, a coluna deve estar alinhada e alongada, mas não rígida.

* sentar-se no chão — diretamente ou sobre uma almofada;
* ajoelhar-se sobre as panturrilhas;
* sentar-se em um banquinho próprio para a meditação;
* sentar-se em uma cadeira de altura e tamanho adequados à sua anatomia.

Nesta primeira atividade, você experimentará rapidamente cada postura para poder escolher a mais confortável.

Sugerimos que as primeiras experiências não ultrapassem dez minutos, contando a soma da preparação e da prática.

Postura sentada no chão ou em almofada
Prepare o ambiente com um tapete macio ou um cobertor. Se for usar uma almofada — o que aconselhamos —, ela deve ter enchimento firme de no mínimo um palmo de altura; cerca de vinte centímetros.

O tapete ou cobertor alivia a pressão dos tornozelos enquanto as pernas estiverem cruzadas sobre o chão duro, e sentar sobre a almofada diminui a pressão na região lombar e na articulação do fêmur. Um meditador avançado ou praticante habitual de yoga poderá dispensar a almofada e o tapete e, eventualmente, posicionar um pé sobre cada coxa.

> **NOTA**
>
> A postura utilizada pelos iogues é altamente desaconselhada para iniciantes de meditação ou pessoas com pouca flexibilidade, já que pode causar sérios danos às articulações do quadril, pernas e pés.

Ao se sentar diretamente no chão ou sobre a almofada, com recheio firme e com altura de 20-30 centímetros (ou mais, se confortável), cruze as pernas naturalmente. É provável, mas não necessário, que os pés e tornozelos fiquem embaixo dos joelhos ou das canelas. Pode-se também, ao cruzar os pés, afastá-los do corpo cerca de até 40 centímetros, para aliviar uma pressão maior sobre a articulação dos joelhos e sobre o músculo das virilhas.

Na dúvida, adote a postura das crianças ao se sentarem no chão, com apenas uma das pernas levemente estendida à frente. Algumas escolas infantis e preparadores físicos chamam esse modo de "postura de índio".

Na almofada, evite dores lombares sentando-se entre o meio e a frente. Verifique também se os joelhos estão abaixo da cintura e, se possível, encostados no chão, mas sem forçar os músculos e ligamentos entre a bacia e as coxas.

Postura ajoelhada

Na postura ajoelhada sobre as panturrilhas, os pés ficam voltados para trás e a base do corpo, sobre os calcanhares. A posição é mais desafiadora para algumas pessoas e pode gerar dormência ou cãibra nos pés e dor nos joelhos.

Uma alternativa é ajoelhar e sentar sobre uma almofada ou rolo cilíndrico macio e resistente.

Postura sentada em um banquinho

Sentar-se sobre um banquinho para meditação facilita a posição ajoelhada. Nessa postura, os joelhos ficam no chão e as panturrilhas e os pés permanecem voltados para trás, por baixo do banquinho, sem sofrer pressão do corpo.

> **NOTA**
>
> Em qualquer caso, é sempre necessário ter o cuidado de não forçar as articulações e atentar para a livre circulação do sangue.

Postura sentada em cadeira

Quem não aprecia ou não pode realizar as posturas anteriores medita sentado em uma cadeira que apresente altura e tamanho adequados à sua anatomia. Se for essa a sua escolha, desencoste do espaldar a fim de fortalecer a musculatura das costas e conservar a coluna alongada e livre de qualquer pressão.

Deixe os pés paralelos, levemente afastados. Os joelhos permanecem nem dobrados demais, nem estendidos demais.

> **NOTA**
>
> Atente-se para a altura da almofada, banquinho ou cadeira de acordo com a sua anatomia. Voltamos a insistir que jamais force as articulações, principalmente se for iniciante com boa flexibilidade. Às vezes a facilidade em alcançar as posturas eleitas de modo aparentemente confortável pode mascarar a formação de lesões.

Posição das mãos

Decidido o modo de sentar, escolha a posição das mãos, importante para a boa postura.

Experimente colocar as mãos sobre as coxas com as palmas voltadas para baixo. Não alcance os joelhos, ou seu corpo se inclinará para a frente, nem deixe as mãos próximas à virilha, ou o corpo se inclinará para trás. Essa postura oferece muito conforto e centralização.

Outra posição das mãos sobre as coxas será com as palmas voltadas para cima. Ao unir a ponta do dedo indicador à do polegar de cada mão, os outros dedos podem permanecer relaxados e levemente abertos. Esse *mudra*, ou gesto, simboliza o caminho budista e seus ensinamentos.

Uma terceira posição das mãos utiliza o mudra que sinaliza a prática da meditação: com as palmas para cima, as mãos ficam uma sobre a outra e os polegares se tocam levemente, sem relevância de qual das mãos está acima.

Nas três possiblidades os ombros permanecem retos e nivelados, mas sem rigidez; os braços ficam minimamente afastados para não comprimir as laterais do corpo.

😊 PRÁTICA | ATENÇÃO À POSTURA

A atividade a seguir envolve um primeiro cuidado e atenção à postura que irá aos poucos se agregar à prática. Neste início, utilize cerca de dois minutos nas etapas aqui descritas. No futuro, esse cuidado inicial com a postura se dará em menos tempo, mas você deverá revisitá-lo de quando em quando durante a meditação para corrigir possíveis desvios.

Eleitos o assento e a posição mais confortável dos braços e mãos, pernas e pés, perceba a condição de sua respiração, se agitada ou tranquila. Ao sentar para meditar, inspire e expire profunda e longamente por três vezes. Essas três respirações completas e iniciais têm por objetivo relaxar o praticante.

A seguir, inspire profundamente e, ao mesmo tempo, preencha a base dos pulmões enquanto dilata o abdômen. Retenha o ar por um ou dois segundos e expire sem ruído pelo nariz ou pela boca. Após essa pequena introdução, sua respiração ficará relaxada e tranquila.

Perceba o ambiente em que se encontra. Identifique os sons, os aromas e faça um esforço para não julgar ou analisar o que o cerca; somente constate. Preste atenção à respiração regular que aos poucos se instala e relaxa corpo/mente. Esses são os primeiros passos para alcançar o relaxamento na meditação.

Ao longo dos minutos da prática meditativa, lembre-se constantemente da respiração tranquila, da postura e do conforto do corpo reto e alongado. Os meditadores regulares também se valem desses expedientes.

Volte sua atenção para o alto da cabeça, sem descuidar da postura — em equilíbrio e ereta, mas não rígida. Direcione o topo da cabeça para o teto. Com isso, o queixo se aproxima levemente do peito, a coluna é alongada e a cabeça permanece em equilíbrio, sem tombar para a frente, para trás ou para os lados.

Procure descontrair a testa e a região do couro cabeludo.

Movimente levemente os maxilares para relaxá-los, com bocejos livres, porém sem ruído. Durante a meditação, a boca permanece fechada ou entreaberta, e a ponta da língua pode tocar a base dos dentes de cima, o que reduz a salivação e ajuda a relaxar. Um leve sorriso abrirá o semblante, diminuindo a tensão e a contração da fisionomia.

Deixe os olhos semicerrados ou abertos e fite o chão à sua frente num ponto a 10-20 centímetros de distância. Fitar um ponto limita o campo visual e facilita a atenção plena e a concentração.

Outra opção é fitar com os olhos abertos uma linha do horizonte imaginária, prática bastante desafiadora para os iniciantes. Lembre-se de piscar regularmente. Algumas escolas de meditação indicam que os olhos permaneçam fechados para se isolar do entorno, mas com isso tem-se o risco de se perder em pensamentos e fantasias.

Após experimentar as diferentes opções do olhar, você poderá identificar e eleger a que lhe parecer mais conveniente e confortável.

Prossiga percebendo sua postura. Cuide para que os ombros permaneçam alinhados, porém relaxados, sem flexão para a frente (em forma de arco) ou inclinados para um dos lados.

Dê atenção ao alargamento do peito com um leve movimento periódico de aproximação das escápulas, os ossos triangulares no alto das costas, também denominados omoplatas. O peso do corpo deve recair sobre os ísquios, os dois ossos inferiores da cintura pélvica, localizados na porção inferior das nádegas.

Após o término da meditação, movimente-se de forma espontânea, porém suave, a fim de não quebrar a atmosfera interior ou tumultuar o ambiente, caso esteja em grupo.

Inspire e expire atentamente algumas poucas vezes antes de se levantar. Leve a lembrança tranquila desses breves momentos para o seu dia a dia.

5. RELAXAMENTO

Meditar x relaxar

Antes de falarmos do relaxamento em si, convém distinguir as acepções corriqueiras dos termos *relaxar* e *meditar* nas técnicas meditativas introduzidas neste livro.

Relaxar é saudável: libera o corpo e o cérebro das tensões cotidianas, causadas por excessivo esforço físico e mental. Além disso, desanuvia o estresse emocional, seja o continuado, seja o eventual. O relaxamento total pode e deve ser feito com frequência, de forma autônoma ou auxiliar à meditação; no entanto, apesar de sua importância, ele não deve ser confundido com a prática da meditação convencional ou tradicional.

Há pessoas que dizem "vou meditar" em vez de "vou relaxar". Colocam uma música inspiradora, reclinam-se na poltrona, ou se deitam, e então imaginam um cenário: um bosque acolhedor ou um regato refrescante, por exemplo. Em seguida, deixam a fantasia e a imaginação voarem soltas em pensamentos aleatórios e suaves. Muitas vezes, repassam cenas e diálogos vividos ou deliberam sobre ações futuras e, ao terminarem, dizem que meditaram sobre temas relevantes para a sua vida ou descansaram a mente. Essa atividade é ótima para uma reavaliação pessoal e como relaxamento ocasional, mas não se trata da meditação propriamente dita.

Durante um relaxamento livre, pode ocorrer ausência mental, torpor, insensibilidade ou sonolência. A pessoa não se direciona à prática meditativa: não se volta para a vivência do presente e tampouco se foca em um tema específico.

No entanto, ninguém atinge o estado meditativo sem que corpo/mente estejam relaxados, e isso vale para meditadores tanto iniciantes quanto avançados. Assim, indicamos aqui diferentes formas de relaxamento no início da meditação, seja por respirações completas, seja por meio da atenção a cada parte do corpo — denominada *escaneamento corporal* ou *body scan* —, seja por meio de um alongamento.

Alongamento

O alongamento antes da meditação é uma atividade opcional que tem como finalidade manter as articulações flexíveis e relaxadas. É recomendado para iniciantes, embora meditadores experientes também o pratiquem ocasionalmente no todo ou em parte. O ideal é que esse alongamento tenha uma duração curta de até quatro minutos e que seja feito com movimentos suaves.

😊 PRÁTICA | ALONGAR ANTES DE MEDITAR

Faça estes exercícios de forma calma e sequencial, com a atenção voltada para a ação e sempre respeitando sua idade e característica individual. Quando não explicitado, o movimento pode ser repetido com vagar, por cinco ou mais vezes. A sequência e a quantidade de exercícios dependem de uma escolha e decisão própria.

Sente-se no chão, em uma almofada, banquinho ou cadeira. Com as pernas estendidas, mas não tensionadas, inicie movimentos de alongamento dos dedos dos pés, encolhendo-os e abrindo-os em leque.

Em seguida, faça movimentos circulares e lentos com os pés, um de cada vez, no sentido horário e, depois, no sentido oposto. Realize o mesmo procedimento com as mãos.

Movimente os ombros em pequenos círculos, primeiro para a frente e depois para trás. Então, levante e abaixe os ombros algumas vezes, inspirando ao elevar e expirando ao abaixar, de forma sincronizada. Se estiver em grupo, faça o mínimo de ruído ao expirar.

Em seguida, realize movimentos laterais com o pescoço, tombando a cabeça aos poucos em direção ao ombro direito e esquerdo, sucessivamente, por três vezes, de forma lenta.

Para trabalhar a flexibilidade, faça uma torção leve e lenta da cintura para a esquerda e, depois, para a direita. Repita somente três vezes, para não causar tontura.

Pisque os olhos algumas vezes. Com os olhos fechados, movimente-os em círculos e mova-os de cima para baixo ou de um lado para o outro.

Comece a movimentar a língua. Abra e feche a boca suavemente, o que provocará bocejos. Estes devem ser silenciosos, mas não reprimidos.

Entrelace as mãos para a frente, de modo a ver o dorso delas, e estenda os braços. Mantenha-os assim por três segundos ou mais, expandindo as costas e arqueando-as.

Gire as mãos de modo que você veja os dorsos e as palmas alternadamente. Inspire e expire durante os movimentos.

Depois, entrelace as mãos para trás, com as palmas convergindo e os ombros abaixados e voltados para trás, de modo a expandir a região do tórax. Inspire e expire por três vezes. Se você julgar conveniente e não for atrapalhar ou assustar os circunstantes, ao expirar, vocalize o som *haaa!* A sensação de relaxamento será imediata.

Após a meditação, refaça um dos exercícios, à sua escolha, antes de se levantar.

Relaxamento profundo

Uma prática mais intensa de relaxamento é o escaneamento do corpo todo, ou *body scan* total, em postura deitada de costas. Quando autoconduzido, o relaxamento completo é mais indicado ao meditador habitual, que dificilmente adormecerá durante essa atividade. Ele exige um mínimo de vinte minutos, eventualmente seguido de dez minutos ou mais de prática meditativa sentada.

😊 PRÁTICA | BODY SCAN, OU ESCANEAMENTO CORPORAL

As práticas meditativas em grupo ou os workshops (oficinas orientadas) utilizam com frequência a modalidade de relaxamento total na postura deitada. Nelas, um guia dirige a atenção plena à respiração e a cada parte do corpo com suaves comandos verbais. Há variações mais ou menos detalhadas, conforme a disponibilidade de tempo e a ênfase no relaxamento profundo. Apresentamos aqui a técnica do body scan, que pode ser praticado por vinte minutos. Por ser feita na postura deitada de costas, é também recomendada para pessoas doentes ou com limitação motora.

Deitado, sinta a serenidade do ar que entra e sai dos pulmões por alguns segundos e leve sua atenção para o alto da cabeça. Permaneça de costas, com os braços ao longo do corpo e as palmas das mãos voltadas para cima. Se as mãos ficarem voltadas para o chão, vão favorecer a sonolência. Perceba o seu couro cabeludo e identifique algum ponto de tensão, desde o pescoço até a testa, que, por sua vez, deve estar descontraída. Relaxe, respire profundamente e realize um suave movimento de cabeça, se necessário.

Em seguida, inclua a atenção às orelhas, olhos e rosto. Faça um passeio por si mesmo sem compromisso ou qualquer julgamento sobre seus traços fisionômicos, idade ou imperfeições. Sempre com vagar, movimente a língua e solte levemente a mandíbula. Boceje livremente, sem ruído, até se sentir relaxado.

Verifique os ombros e, se estiverem tensos, abaixe-os física e mentalmente; libere-os do peso imaginário que carregam. Perceba se os braços e as mãos estão confortáveis. Relaxe, respire profundamente e execute qualquer pequeno movimento que sentir necessidade.

Perceba as costas e, em seguida, o peito e o abdômen. Se precisar, modifique lentamente sua posição. Inspire com suavidade pelo nariz. Direcione o ar inicial para a base dos pulmões e dilate ao mesmo tempo o abdômen. Expire lentamente, repetindo a ação por três vezes. Sinta o ar acariciando a pele do rosto e do corpo. Relaxe e respire profundamente.

Volte a atenção para as pernas e os pés. Perceba se estão confortáveis. Se necessário, mude sutilmente sua posição. Sinta-se liberto de qualquer peso e acolha o bem-estar. Relaxe e respire profundamente, retirando toda a tensão corpo/mente.

Para terminar, alongue todo o corpo. Sem ruídos, acompanhe esse movimento calmo com bocejos, caso sinta necessidade. Tenha consciência das sensações agradáveis e relaxantes de que usufruiu como créditos merecidos. Ao longo do dia, relembre os benefícios alcançados durante e após o relaxamento total do corpo.

Se preferir, você pode realizar o percurso inverso, iniciando a prática pelos pés e pernas. É possível também gravar as instruções para utilizá-las durante a prática individual.

Caso o relaxamento cause sensações ao corpo, somente as constate, sem dar continuidade a pensamentos e lembranças decorrentes, sem acrescentar julgamento ou crítica, mesmo que isso seja difícil.

Do mesmo modo, aceite as emoções que eventualmente irromperem, mas não se apegue a elas. Evite identificar-se com sentimentos como os de tristeza, alegria, raiva, medo, aversão ou repulsa, pois isso o levará a um emaranhado de pensamentos que impedem a continuação serena do escaneamento até o final. Somente os identifique e volte à sequência do body scan. Se precisar, trate das associações e sentimentos que emergirem fora do horário da prática meditativa.

Não é fácil abrir mão da autoanálise durante o relaxamento, pois estamos habituados a perceber a sensação e a associá-la imediatamente a alguma emoção e sentimento. Nesse sentido, a técnica de escaneamento do corpo, se utilizada para relaxar e somente reconhecer qualquer sensação quando surge, mas sem análise maior, produzirá excelentes resultados na atitude de desapego sadio e na atenção continuada ao foco.

6. RESPIRAÇÃO, ELEMENTO FUNDAMENTAL

A respiração como objeto de foco

A respiração acompanha o ser humano desde o seu nascimento até a última exalação. Conforme o yoga, a energia vital, ou *prana*, se manifesta na respiração. Porém, apesar de tão natural, a atividade passa despercebida pela maior parte das pessoas em seu cotidiano.

O foco na respiração está na base da prática meditativa, durante a qual ela deve ser natural e espontânea, sem a preferência por qualquer ritmo preestabelecido. Em outras palavras, deve simplesmente acontecer, sem intervenção ou expectativa do praticante.

No entanto, para se chegar a essa respiração natural, a técnica preconiza que no início da meditação, ou mesmo no decorrer do dia, pratique-se a respiração consciente.

Respiração consciente e respiração natural

A respiração consciente e profunda restaura as forças, oxigena mais o cérebro, equaliza o sistema circulatório, libera toxinas e propicia calma e organização emocional. Além disso, auxilia no gerenciamento da ansiedade e permite que se entre em perfeita sintonia com a totalidade do corpo.

Já a respiração natural, inconsciente e própria a cada pessoa, é a que deve ser praticada no decorrer da meditação. Ela facilita o alcance de tranquilidade e do equilíbrio corporal/mental.

> 😊 PRÁTICA | **RESPIRAÇÃO CONSCIENTE**
>
> *Embora possa parecer um exercício de força — com tantas instruções detalhadas para um ato comum como o de respirar —, este exercício visa apenas fazer fluir os movimentos e, junto com eles, o ar.*
>
> Faça as etapas do parágrafo a seguir com um só movimento, contínuo e suave, sem degraus ou golpes abruptos.
>
> Inspire com suavidade pelo nariz. Direcione o ar inicial para a base dos pulmões e dilate ao mesmo tempo o abdômen, de forma semelhante à da respiração dos bebês. Na sequência da mesma inspiração, expanda a região das costelas. Com o restante da inspiração, preencha a parte alta dos pulmões, expandindo o tórax. A seguir, esvazie os pulmões com suavidade, expirando pelo nariz e contraindo levemente o abdômen.
>
> Preenchendo os pulmões de baixo para cima você relaxa o corpo e evita a respiração curta e localizada somente no alto do peito, que pode provocar ansiedade e até mesmo depressão.
>
> Releia a orientação e pratique o exercício por três vezes, de modo a desenvolver a consciência do ato de respirar e internalizar a atividade. Lembre-se de que, ao praticar a meditação com assiduidade, a expansão e a contração do abdômen, bem como a expansão suave do peito, se darão de forma natural, e você alcançará facilmente o relaxamento e a concentração.

A inspiração profunda e a expiração prolongada são pouco valorizadas e raramente lembradas como auxílio do equilíbrio interno e da serenidade mental. Ainda assim, a respiração consciente aqui deve ser considerada uma prática temporária. Trata-se de uma conscientização inicial, pois, ao longo da meditação diária, o foco está na respiração natural, sem qualquer controle em seu ritmo.

Depois de praticar a respiração consciente, faça uma breve atividade de respiração natural e regular, conforme descrito a seguir.

> ### ☺ PRÁTICA | RESPIRAÇÃO NATURAL
>
> Inspire e expire pelo nariz de forma suave e atenta. Faça isso por três vezes, sem qualquer interferência de pensamentos ou da lembrança da prática anterior. Não se trata de regular a respiração, mas somente de observar, sem crítica ou apreensão, a entrada e saída do ar.
>
> Após esse exercício, pergunte-se:
>
> * Como o ar entra pelo nariz: é frio na base ou no alto das narinas?
> * O ar sai morno pelas narinas?
> * Como se processa a respiração: pausada e regular ou agitada?
>
> Com a intenção de reconhecer a própria respiração natural, repita o breve exercício, desta vez respondendo para si mesmo as perguntas efetuadas acima.
>
> Completados o exercício opcional de alongamento ou relaxamento, de respiração consciente e de reconhecimento de como o ar entra e sai das narinas, é aconselhável que você permaneça por cerca de um minuto com os olhos semiabertos e com a respiração natural.

> Perceba, em silêncio, a tranquilidade e o agradável relaxamento propiciado pela consciência da presença do corpo. Usufrua o precioso tempo dedicado a si e, durante o dia, rememore a sensação experimentada nesse confortável relaxamento atento.

Agora que você já leu sobre postura, relaxamento e respiração, veja no capítulo 7, "O uso do tempo", como usar o tempo do treino e passe a meditar com regularidade. Só com a prática assídua você sentirá os benefícios que a meditação pode oferecer.

7. O USO DO TEMPO

Atenção ao corpo

Para evitar desconforto, dores no corpo e objeção futura à prática, não exagere no tempo e na aplicação dos ensinamentos. Nas primeiras vezes, dedique no máximo dez minutos à soma das atividades, que inclui: análise da postura do corpo (tronco, braços, mãos, pernas e pés); relaxamento e alongamento opcionais; breve respiração consciente, também opcional; e atenção à respiração natural.

Durante a prática da meditação, é importante dar atenção, de tempos em tempos, à postura correta do corpo. O objetivo desse cuidado vai além de se manter presente e concentrado: trata-se também de identificar eventuais pontos de tensão e, assim, relaxá-los. Na maior parte das vezes, basta tomar consciência de uma eventual contração e corrigi-la com um suave e pequeno movimento para que os músculos envolvidos se soltem durante a meditação.

Diminua o tempo direcionado ao cuidado com a postura e práticas respiratórias à medida que o cérebro introjetar a atitude correta do corpo e a respiração tranquila. Ao mesmo tempo, aumente progressivamente a atenção plena à respiração regular e natural. As demais práticas de atenção só devem ser introduzidas quando as instruções sobre respiração e postura estiverem bem assimiladas.

Fracionar a prática

No início do aprendizado, mesmo dez minutos podem ser um tempo excessivo. É possível que a impaciência ou o torpor se manifestem fortemente. Nesse caso, reduza o tempo de meditação. Você pode fracionar os dez minutos sugeridos em dois horários diferentes, de cinco minutos cada, desde que no mesmo dia. Dessa forma, o corpo e o cérebro se habituarão aos poucos à proposta de atenção plena ao corpo e à respiração.

> **CONCEITO | COMPROMISSO DIÁRIO**
>
> Para a continuidade da prática, é muito importante criar um compromisso diário com a meditação, por poucos minutos que seja, sem acumular horas em um dia qualquer da semana. É necessário que o corpo e as conexões cerebrais se habituem à nova proposta. Com o foco na respiração e na coluna reta, o meditador deixa-se relaxar de forma atenta, em postura correta e digna, sem afetação.

Pouco tempo para a prática

Muitas pessoas, embora sintam vontade e até necessidade de meditar, não encontram no dia a dia tempo suficiente para se dedicar à prática. É o caso, por exemplo, de pais de crianças recém-nascidas ou pequenas, cuja tarefa contínua de cuidados e desvelo é bastante cansativa, ou de cuidadores de alguém com alguma deficiência grave.

Para essas pessoas, alguns períodos nutrientes de respiração profunda e relaxamento do corpo são suficientes para auxiliar no resgate do equilíbrio emocional. Como a atividade meditativa exige tempo disponível e organização, impossível de alcançar e usufruir estando a sós com uma criança muito pequena, pode-se recorrer ao recurso do breve relaxamento ocasional. Realizado em poucos minutos, o relaxamento será mais adequado e recompensador quando houver outro responsável que possa acompanhar o bebê durante esse período ou alguém que possa atentar para o doente durante esse breve tempo.

😊 PRÁTICA | ATIVIDADE LEVE E RELAXAMENTO

Sente-se confortavelmente e, com a coluna alongada, respire naturalmente por cerca de três vezes. Depois, foque a atenção na inspiração prolongada e na expiração lenta e consciente. Repita a ação de três a cinco vezes.

Ao se sentir relaxado, inspire profundamente dilatando o abdômen. Em seguida, expulse o ar abruptamente, por uma ou duas vezes, vocalizando "haaa" (desde que não assuste pessoas que possam estar ao seu redor).

Sinta o relaxamento percorrer todo o corpo e usufrua a breve situação de equilíbrio interno que se instala; desfrute essa pausa revigorante.

Repita o exercício durante o dia, se desejar.

> 😊 PRÁTICA | **ATIVIDADE LEVE E RELAXAMENTO**
>
> *Para facilitar a introjeção a favor da meditação, realize uma brevíssima prática de observação corpo/mente durante sua atividade diária.*
>
> Ao longo do dia, por cerca de três minutos, volte sua atenção para a respiração natural e para a postura do corpo. Deixe os olhos semiabertos e usufrua serenamente esses momentos de observação.
>
> De modo suave e tranquilo, retorne à sua atividade cotidiana.

8. SUPERANDO OBSTÁCULOS

Processo contínuo

Cedo ou tarde, surgem os obstáculos. Para alguns, as dificuldades são tantas que chegam a desestimular a prática da meditação, colocando-a em risco. Se esse for o seu caso, não se alarme. Saiba que qualquer praticante passa por isso em maior ou menor grau. E todos os problemas podem ser superados.

Em poucos minutos de atividade, é possível haver devaneio, lassidão, desvio de atenção, pensamentos avassaladores, sensações como agitação, ansiedade ou tédio. Pode haver ainda sentimentos de superioridade ou inferioridade, desconforto corporal, inquietação e até mesmo culpa por um suposto desleixo ou por exigir de si mesmo uma dedicação maior à prática. É importante perceber que tipo de obstáculo é o mais recorrente.

A prática da meditação é um processo contínuo e evolutivo, sem linha de chegada. Saber disso e conseguir desenvolver a determinação para se manter no curso já é parte do caminho para vencer os obstáculos.

Lembre-se de que os primeiros dias — ou até semanas — de prática meditativa devem ser utilizados para desenvolver o treino da atenção plena e reforçar o foco na postura, relaxamento e cuidado com a respiração natural. Isso propicia a presença total corpo/mente no agora.

Embora o menu de obstáculos seja extenso, o procedimento para solucioná-los se limita a: constatar o problema, tomar a providência adequada para solucioná-lo ou minimizá-lo e retomar a atenção e o foco na atividade.

Constatar e reduzir

O passo inicial para superar qualquer obstáculo é constatá-lo, só isso. Se a distração surgir, reconheça-a, mas não dê margem para comentários mentais, como julgamentos ou censura por ter se distraído. Reconhecida a distração ou a dificuldade como fato normal, providencie a solução conforme as orientações a seguir.

Para simplificar, reunimos os diferentes tipos de impedimentos à meditação em três grandes grupos: um relacionado à expectativa do meditador; outro à adaptação e ao desconforto durante a prática; e um terceiro ligado aos conteúdos mentais que a meditação faz aflorar.

Dificuldades ligadas a expectativas

A ilusão da recompensa imediata é a primeira expectativa que pode desmotivar um iniciante. Como a meditação básica ou inicial é fácil de compreender, é comum que nas primeiras tentativas o novo meditador espere um rápido retorno pelos seus esforços, aguardando ansiosamente por sinais de progresso imediato: concentração muito desenvolvida, equilíbrio interior, ausência total de ansiedade... e por aí segue. Porém, a capacidade de atenção e concentração se amplia aos poucos, sem pressa. É preciso ter persistência para conquistá-la. A meditação só dará retorno com a assiduidade da prática.

Passado o tempo de empolgação inicial, outra sensação possível é a de torpor, tédio ou mesmo falta de propósito ou finalidade. Essa questão também está ligada a expectativas não realistas de, por exemplo, se atingir um estágio especial, mágico, de ter sensações quase lisérgicas, de se chegar a um êxtase divino. Os equívocos a respeito da meditação são inúmeros, como se pode ver no Apêndice 4, "Fatos e mitos".

A exigência em relação ao próprio desempenho também pode ser um obstáculo, atacando dois tipos de iniciantes: os que se autocongratulam pela boa atuação, sentindo-se melhores que os demais, e aqueles com tendência ao autodesmerecimento, que se julgam falhos e piores que os outros.

Para ambos, convém lembrar que o objetivo da meditação não é fornecer distinção ou superioridade, tampouco promover a autocrítica. Não se trata de atuação ou comparação com terceiros. O que se busca é a centralização interior e todo o círculo virtuoso que se inicia a partir daí. Portanto, para dar qualidade à prática da meditação, evite as atitudes de *autorreferência* (pensar só em si), comparação com os outros e autocensura demasiada.

A meditação trata de autossuperação contínua, em constante aprendizado de perceber a si, ao outro e as circunstâncias. Retomar a prática meditativa, apesar das dificuldades, é a melhor forma de treinar a unidade corpo/mente e permanecer no momento presente.

Dificuldades de adaptação

Dois estados iniciais e opostos podem colocar em risco a meditação tranquila: de um lado, o tédio e o torpor, de outro, a agitação e a ansiedade.

Para muitos, o tédio, o torpor ou sonolência surgem após o relaxamento e o alongamento. Para outros, aparecem depois de alguns minutos de tranquilidade. Combata-os respirando por duas ou três vezes profundamente, mas sem ruído. O ato de inspirar de modo vigoroso é um grande aliado da meditação, pois ativa a circulação e fornece mais oxigênio para o cérebro.

Já a agitação e a ansiedade podem ocorrer em qualquer momento da prática. Manifestam-se na forma de distrações, dores e até coceiras. Para vencer o estado agitado, seja mental ou físico, expire de modo mais prolongado por três vezes seguidas.

Utilize a respiração para desenvolver um eixo equilibrado de vigor ou tranquilidade, conforme o caso.

> **CONCEITO | UMA RIMA ÚTIL**
>
> Para vencer o torpor, inspirar e expirar com vigor.
> Para acalmar a mente, inspirar e expirar longamente.

- Desconforto corporal

O desconforto corporal é um grande motivo de desânimo e consequente interrupção ou abandono da prática meditativa.

Quando sentir dores ao meditar, constate sua presença e conduza a atenção ao local dolorido. Tal providência deverá diminuir ou extinguir a sensação.

Caso o alívio não aconteça, movimente-se lentamente, prestando total atenção ao processo de mudança sutil da posição. Evite gestos bruscos e rápidos para não desenvolver irritação durante a prática. Com o acompanhamento consciente de cada movimento do corpo, sempre feito com suavidade, a mente aos poucos serenará e as sensações diminuirão.

Em seguida, volte a se ater à postura alinhada e à respiração natural, prática sempre utilizada pelos meditadores avançados.

O mesmo procedimento deve ser empregado quando surgirem coceiras ou dormência nos pés ou mãos. Friccione gentilmente o local e volte a prestar atenção à postura e à respiração. Mesmo se estiver em grupo, não se acanhe em realizar esses discretos gestos durante a meditação.

Dificuldades ligadas a conteúdos mentais

A imobilidade e o exercício básico de focar na postura e respiração podem trazer uma possível agitação do cérebro durante a prática meditativa, com distrações e devaneios. No entanto, é importante ter a consciência de que essa agitação não nasce da prática meditativa: a meditação só faz aflorar o tumulto mental e a ansiedade que já estavam presentes no dia a dia do praticante. Qualquer pensamento perturbador ou sentimento intenso que aflore com frequência durante a meditação deverá, se necessário, ser tratado em outro momento, pelo canal competente da psicologia e/ou da medicina.

É natural que os pensamentos saltem de um assunto a outro. A mente faz o que lhe compete ao encadear e associar diferentes temas e interesses, muitas vezes de modo errático e sem aparente conexão. O único momento em que o cérebro se desliga dos pensamentos é durante o limitado estágio de sono profundo, sem sonhos.

Se o novo praticante ainda não adquiriu o hábito da atenção ao foco e no dia a dia está sempre distraído e ausente do agora, pode se predispor a uma gama de sentimentos inquietantes durante a meditação. Assim, não será uma surpresa se a mente saltar de um fato a outro ou de uma sensação à outra.

É também comum ocorrer a obsessão por um único tema aflitivo e persistente. Durante a meditação, a pessoa se flagra recordando fatos e diálogos que aconteceram e imagina como deveriam ter ocorrido. Nesses casos, a prática de voltar a atenção a um foco escolhido é bastante benéfica e eficaz para o meditador permanecer centrado.

Se os pensamentos, como é sabido, se entrelaçam e criam padrões pessoais, eles podem tanto produzir uma atmosfera mental com aspectos destrutivos e deletérios quanto, ao contrário, conceber um clima positivo e de mais valia. É aí que entra a atenção plena e o foco: o limite imposto aos pensamentos obsessivos impede que a mente seja sobrecarregada, liberando-a do apego inútil e exagerado a dado assunto recorrente, muitas vezes gerado por uma atitude perfeccionista. Quando treinada, a mente consegue relaxar e permanecer em atmosfera positiva.

Além dos pensamentos obsessivos, a mente pode criar imagens, cores e sons fictícios durante a meditação, pois se rebela aos treinamentos iniciais. Trata-se de atividades aceitáveis e normais da mente, que vão diminuindo à medida que a prática se desenvolve.

Outro fator que pode assustar e afastar o meditador novato da prática é o medo de se defrontar com sentimentos inconscientes ou escondidos. No entanto, o meditador persistente verá que é possível desenvolver força mental para superar a apreensão, gerenciar as emoções e encarar o temor — se necessário, com o auxílio da área psicológica ou médica.

> **NOTA**
>
> As atividades de meditação treinam o praticante a identificar *sensações, emoções* e *sentimentos* que possam surgir durante a prática, sem escondê-las de si mesmo. As sensações podem ser físicas, como a tátil e a olfativa; as emoções emergem de maneira repentina, como a raiva e a paixão; e os sentimentos são estruturais e próprios ao ser humano, como a ansiedade, a afeição e o amor, por exemplo. Mas, assim que o meditador reconhece qualquer uma delas, deve voltar suavemente ao foco escolhido, como a respiração, por exemplo, sem análises ou considerações.

PRÁTICA | O FOCO

A atenção a um foco desenvolve a capacidade de estar no agora e faz com que a pessoa se detenha à realidade, independente do período de vida em que se encontre. Assim, quer atravesse dificuldades ou passe por uma época de benesses, o praticante de meditação será capaz de balizar e gerenciar os pensamentos e emoções por meio do treino do foco, sem se ver engolfado pela avalanche de inquietações ou de fantasias; ambos podem comprometer a tranquilidade, a percepção e a lucidez nos pensamentos e ações cotidianas.

A meditação voltada para o foco no momento presente é uma ferramenta útil que treina o cérebro em *como* pensar de forma objetiva e salutar. Possibilita ao praticante identificar seu padrão mental e reprogramá-lo — se conveniente.

Auxilia-o a atravessar qualquer período, livrando-o de atitudes e pensamentos deletérios ou improdutivos.

Outro item relevante quanto ao exercício do foco refere-se ao hábito que a cultura ou costumes ainda apresentam. Estamos direcionados somente em focar os resultados dos empreendimentos e esquecemos, ou não valorizamos, o *processo* em que se desenrola qualquer ação. Mas, ao focar o instante presente, iremos vivenciar seus momentos, demandas e oportunidades, o que possibilita a mudança de percurso e torna mais próximo e viável o alcance da meta estabelecida e almejada.

9. APENAS CONSTATAR, SEM JULGAMENTO

Atenção intermitente e panorâmica

Aprofundamos aqui a ideia de apenas constatar a distração durante a meditação. Antes de mais nada, devemos reconhecer que existe entre todos os animais, inclusive os seres humanos, a tendência natural para a atenção intermitente e panorâmica ao ambiente. Desde os primórdios da existência, a atenção transitória e acurada ao entorno tem servido para a sobrevivência: com ela, identificam-se as ameaças e as situações de oportunidade.

Na prática meditativa, o cuidado em constatar a perda de foco reconhece essa tendência natural de atenção circular sobre o que nos cerca, mas, em seguida, o meditador deve retomar o treino da atenção plena ao foco escolhido.

Constatar significa simplesmente perceber os pensamentos, sensações, emoções e sentimentos sem julgamento. A proposta é dar-se conta de que se trata de uma energia e de uma atividade natural, sem negar ou camuflar sua existência. É aceitar o movimento da mente sem crítica depreciativa e sem análise, para não dar seguimento a eles durante a meditação.

Parece uma incoerência o meditador aceitar o que surge espontaneamente durante a prática meditativa e, ao mesmo tempo, estabelecer controle mental. Na verdade, o que a técnica sugere é aceitar o que aparece, sem alimentar, desenvolver ou dar continuidade ao assunto.

Ao meditar, é imprescindível não entrar em justificativas ou argumentação mental; somente perceber a distração e a perda de foco e, em seguida, voltar à ancoragem da plena atenção. Será uma providência salutar que treina a mente na colocação de balizas e cria barreiras para impedir a sequência das inquietações e devaneios.

Não é só durante a prática meditativa que se fazem sentir os benefícios do retorno ao foco. Com o treino contínuo, você também saberá definir limites para os pensamentos cotidianos de forma objetiva e oportuna, sem se enredar com o cenário e as circunstâncias. Transpor essa ação treinada e assimilada para as ocorrências diárias contribui para a solução dos problemas que se apresentam e facilita o processo decisório sobre algum tema.

Essa atitude de apenas constatar os pensamentos, sensações, emoções e sentimentos durante a meditação é chamada de *observação passiva*.

A seguir, apresentamos estratégias de observação passiva.

😊 PRÁTICA | UM PASSO ATRÁS

Esta atividade foi elaborada para ser realizada fora do momento de meditação. Seu objetivo é desenvolver práticas de observação passiva, ou seja, o ato de apenas constatar, sem que você analise seus pensamentos, emoções e sentimentos, ou julgue a si, aos outros e às circunstâncias.

Por no máximo três minutos, assista a uma cena do cotidiano que não o envolva e torne-se um observador passivo e atento de algum acontecimento. Por ser uma atitude difícil de se ter, recomendamos que escolha uma cena com desconhecidos ou pessoas pouco próximas. Como exemplo, sugerimos um trecho de novela ou peça de teatro (enquanto assiste), o relato de alguém que não pedirá sua opinião ou algo que veja na rua, a distância.

Dê um passo atrás e não julgue ou apresente para si qualquer pensamento condicionado ou preestabelecido. Perceba-se sem envolvimento durante o pouco tempo de observação. Só contraste a natureza neutra e tranquila de sua observação com a de um participante acalorado; perceba como são diferentes as duas narrativas, a sua e a dele.

Mantenha a atitude principal de desapego à autorreferência. Você não julga, mas também não está desinteressado ou sentindo-se superior. Treinar a observação passiva significa não se colocar em jogo e não se identificar com a situação ou com os outros, o que não quer dizer falta de empatia ou de interesse.

Aos poucos, esse breve treino de se abster de formar opinião ou julgamento (quando desnecessário) sobre cada pessoa e evento irá se incorporar ao seu cotidiano. Você compreenderá as situações estressantes e comuns do dia a dia sem se considerar o centro dos acontecimentos e sem envolvimento autorreferente. Assim, será capaz de tratá-las com lucidez e objetividade — de forma *equânime*, ou seja, imparcial e justa em qualquer contexto.

O mesmo acontece com as lembranças e associações que afloram durante a meditação e no dia a dia. Diferentemente do que muitos creem, o que pensamos não é um espelho fiel de quem somos. O que surge, muitas vezes, é o aparecimento e a lembrança de hábitos impostos ou adquiridos, mas que não representam a sua própria constituição e sentimentos. Tomar tudo o que emerge como elemento estrutural de si tira a objetividade, atrapalha o trato sadio consigo mesmo e com os outros e prejudica o equilíbrio emocional.

A prática da observação passiva também poderá ser aplicada quando você for atingido por uma emoção como a raiva e conseguir somente observá-la, sem apresentar para si justificativas ou explicações. A atitude não é fácil e exige controle mental, mas é passível de treinamento da atenção ao foco.

Adoção de pensamentos e sentimentos alheios
Ampliando as notas acima sobre a atitude pessoal de observação passiva e sem autoenvolvimento, apresentamos o seu complemento.

O ser humano com frequência assume os pensamentos alheios sem maior análise, e por vezes incorpora as situações negativas que vivencia no cotidiano. Adotar sentimentos e ideias de outras pessoas sem qualquer avaliação, ou identificar-se com aspectos não desejados, pode ocasionar transtornos para si e para os que o cercam.

Hoje em dia, por meio das redes sociais, corre-se o perigo de embarcar levianamente em modismos variados ou assumir atitudes extremas e belicosas. A possibilidade e a rapidez em abraçar ideias de pessoas e instituições pouco transparentes, sem qualquer caráter moral e ético, levam o curioso ou o ingênuo a se engajar inadvertidamente em áreas nocivas e desfavoráveis.

Porém, utilizando o procedimento inicial da observação passiva, você será capaz de refletir e, logo a seguir, de se proteger contra a validação ou assimilação de aspectos deletérios e inconvenientes. Não se trata de rejeitar *a priori* qualquer proposta, mas a atitude serve como cuidadoso anteparo, anterior à sua possível incorporação.

Além disso, a utilização em dar um passo atrás e observar os prós e contras que qualquer ideia, pensamento ou sentimento possam oferecer, amplia nossa capacidade de apreciação consciente, e verifica se a mensagem atende aos requisitos de valor e paz para si e para terceiros.

10. APROFUNDANDO SHAMATHA

Permanecer com a mente calma

Até aqui tratamos da técnica shamatha, que desenvolve a capacidade de permanecer com a mente calma, porém alerta. Sua prática básica se apoia na atenção à respiração, na postura alinhada e no relaxamento. O tripé favorece a presença do corpo/mente no momento agora.

Como visto no capítulo 1, "O que é meditação", shamatha significa continuar (com mente/corpo) calmo — o termo sânscrito *shama* significa "calma", e *tha*, "permanecer". Sem lassidão e com vivacidade mental, o percurso shamatha de atenção plena (*sati*, em páli, e *smrti*, em sânscrito) ou atenção focada prioriza o poder da atenção a si, ao outro e ao mundo em geral. Leva o praticante a sustentar a meditação avançada por longo tempo e com estabilidade, sem esforço.

Essa atitude de percepção e concentração se transporta da meditação à vida cotidiana com inúmeros benefícios. Passa-se a ter uma presença atenta no dia a dia, a se autoperceber com pouca ou nenhuma ansiedade, a respeitar e acolher o outro, e a compreender o contexto em que se encontra. Depois de um período de prática meditativa diária de cerca de dois meses, alcançam-se mudanças substanciais e positivas no sistema nervoso e na consciência.

Vale lembrar que não se trata de praticar por um tempo extenso em um único dia da semana. Alguns minutos diários de atenção plena à meditação, em postura correta, mas sem tensão e com a respiração calma, oferecem equilíbrio interno e, mais que tudo, o cuidado com a *qualidade* ou valoração de sua prática meditativa.

Apresentamos a seguir a distinção entre as palavras *mente* e *cérebro* e a evolução do processo shamatha. Sua prática avançada possibilita ao meditador sucessivos estágios de atenção e estados da consciência cada vez mais refinados e profundos. Como complemento, incluímos a perspectiva budista acerca das três dimensões da consciência.

> ### CONCEITO | MENTE E CÉREBRO
>
> Ao longo dos tempos, as palavras *mente* e *cérebro* tornaram-se sinônimos, assim como *mente conceitual, mentalidade* e *consciência*. Da mesma forma, *alma, espírito* e *mente* apresentam significados semelhantes em alguns estudos religiosos e são tratados como uma entidade sobrenatural. Em algumas linhas do budismo, a *Mente* (em maiúscula) muitas vezes é interpretada como transcendente, infinita, incomensurável e contínua, no eterno *vir-a-ser* — sem que a ideia seja associada à crença em divindades.
>
> Com o avanço da neurociência, a partir da década de 1970, houve um cuidado em se distinguir as definições, laicas ou religiosas. Grosso modo, pode-se dizer que a mente intelectiva, cognoscitiva, perceptiva é denominada *mente conceitual* ou *consciência* e apresenta a característica de ser impalpável e imponderável; já o cérebro ou encéfalo é algo material e físico, protegido pelo crânio ou caixa óssea, podendo ser tocado, medido e pesado.

> **NOTA | CONTROLE MENTAL**
>
> Em tempo: a prática meditativa shamatha não apresenta tradução para as ideias de alma (*anima*, em latim, e *psyké*, em grego) eterna e pessoal, e de espírito (*noûs*, em grego) como parte imaterial da materialidade, noções alheias ao seu campo de ensinamentos.

Estágios de atenção

Ao empregar a técnica shamatha, os sentidos ficam atenuados, mas sem torpor físico e mental. Ao mesmo tempo, a atenção torna-se cada vez mais acurada e dirigida, por meio do treino a um foco.

De modo geral, a manutenção da atenção pode ser classificada como menor, média e maior. O grau e o tempo de permanência de atenção que a criança, o adolescente e o adulto apresentam durante a prática meditativa indicarão a correspondência adequada ou não da técnica à sua faixa etária.

O resultado de estar focado na respiração durante a meditação oferece o grande benefício do treino na vivência do agora, conforme já salientado. A atenção plena ao momento, se bem desenvolvida e assimilada, permite ao praticante *estar presente* em corpo/mente durante a meditação e nas situações e ações do cotidiano.

Nota-se que a continuidade regular da prática meditativa identifica o conteúdo dos pensamentos e a ambiência da mente. Com essa observação, pode-se transformar a mente de negativa para positiva e luminosa. Não se trata de ter uma atitude irreal e fantasiosa frente à vida ou de ter amnésia quanto ao passado, mas de conviver com as situações e as pessoas de forma mais leve, agindo com objetividade e de acordo com a realidade do dia a dia. Com a atenção aprimorada, o meditador tem percepção maior de seus padrões mentais e, com isso, consegue colocar balizas ou limites às suas emoções, sentimentos, pensamentos e inferências quando inadequados ou fora de contexto.

Estados da consciência

A origem e o funcionamento da consciência ainda são enigmas para a humanidade, que aborda a questão há milênios. Informações iniciais e intuitivas datam de cerca de 3 mil anos, vindas dos sábios iogues da Índia, dedicados à introspecção na utilização do controle físico e mental.

Neste início do século XXI, ainda se desconhece a origem da consciência individual e cotidiana; o modo como o cérebro produz e relaciona suas características. Acredita-se que vivenciamos constantemente, de forma consciente e inconsciente, o processo interligado das experiências e da consciência mental/corporal.

Sabe-se que a consciência individual e cotidiana, somada aos cinco sentidos, apresenta pensamentos, emoções, sentimentos, percepções e sensações relativas à própria pessoa e ao entorno próximo ou distante. Ela abriga a inteligência, a memória e a imaginação. Também denominada *mente conceitual e discursiva*, a consciência individual e cotidiana é um processo cognitivo e psicológico por meio do qual percebemos o mundo interior e exterior, refletimos, fazemos associações e tiramos conclusões.

De acordo com a psicologia, cada ser humano atua conforme seus pensamentos conscientes e inconscientes, a totalidade de seu corpo fisiológico e sua herança genética. Por sua vez, os pensamentos e ações sofrem grande influência dos padrões e condicionantes familiares e sociais, além da interferência constante das próprias sensações, emoções e sentimentos.

Neurologicamente, o cérebro, interligado ao corpo, apresenta o poder de agir, reagir, pensar, perceber, sentir, criar, associar, imaginar, lembrar e sonhar. Procura fazer o que lhe compete, de modo sequencial e ultrarrápido. Processa uma única experiência por vez; porém, sua velocidade é tão extrema, que os pensamentos, sensações e emoções mudam com tal rapidez, que se tem a impressão de estarem acontecendo ao mesmo tempo.

Hoje, libertos da visão cartesiana que dividia a mente da matéria, entendemos os seres como um conjunto interligado e indissociável de mente/corpo. Compreendemos que há processos neurobiológicos cognitivos e cerebrais que se dão em correlação íntima.

Intuição

Acrescente-se a esse conjunto a intuição como sendo uma visão espontânea, imediata e natural ao ser humano. A intuição poderia surgir das sensações físicas, das emoções, dos sentimentos, das informações acumuladas e na interação das células cerebrais de forma inconsciente e involuntária. Para os que seguem alguma religião ou abraçam ideias místicas, a intuição seria passível de influências e interferências superiores ou divinas.

Perspectiva budista

Algumas linhas da tradição budista vêm se dedicando há séculos à introspecção e às dimensões da consciência. Conforme suas experiências meditativas, há três estados ou extensões:

* consciência *individual e cotidiana;*
* consciência *substrato ou contemplativa;*
* consciência *inefável e primordial*, também chamada de *inata, básica, plena* e *transcendente.*

O primeiro, consciência individual e cotidiana, é formado pela psique ou processos mentais em interação com o ambiente de forma consciente e inconsciente. Nesse estado, a consciência trata de tarefas diárias, sentimentos, emoções, sensações e memórias; estende-se a propósitos ou objetivos vários, e a sentido de vida com valores éticos e morais.

O segundo, consciência substrato ou contemplativa, dá-se na instância superior da mente, ou seja, além do ego, mas apresenta ainda vestígios de autorreferência; sofre pequena interferência dos pensamentos e dos padrões mentais. É passível de ser alcançado na meditação, nas religiões, eventualmente no cotidiano e nos estados alterados de consciência, sem caráter patológico. Repousar na consciência substrato durante a meditação possibilita tranquilidade e equilíbrio, além de aumentar a capacidade criativa e o despontar aleatório da intuição, características também da próxima extensão.

O terceiro estado mental, de consciência inefável, básica ou primordial, existe em todos os seres de forma oculta e se revela após constante e cuidadoso treinamento introspectivo e meditativo, sem a intervenção da autorreferência. Sob essas circunstâncias, quer durante a prática, quer nas ações do dia a dia, o meditador poderá perceber vislumbres da natureza dessa consciência luminosa/espiritual e transcendente, ou seja, além do ego.

Conforme os ensinamentos, a meditação presta o benefício de integrar essas três dimensões da consciência. Será no silêncio da mente que o meditador encontrará caminhos de renovação mental. No processo da meditação avançada, possivelmente vivenciará a qualidade vazia/vacuidade denominada *iluminação*. Para algumas escolas, a iluminação é difícil de ser alcançada e depende de contínuo aperfeiçoamento interior; já para outras, ela se manifesta como um raio inesperado.

11. APROFUNDANDO A RESPIRAÇÃO

O foco e a contagem entre as respirações

Ferramenta poderosa para incrementar a capacidade de atenção e foco, a técnica da contagem, ou numeração, entre as respirações pode ser incorporada à prática meditativa diária.

Ela funciona do seguinte modo: alcançada a centralização interior por meio da meditação básica shamatha, percebe-se que há sempre uma breve pausa entre uma respiração completa e outra. A proposta da contagem é numerar cada uma dessas pausas antes do início da respiração seguinte — do próximo inspirar-expirar — de modo a estabelecer um foco e treinar a atenção plena e a concentração contínua.

☺ PRÁTICA | CONTAGEM

Iniciantes na prática meditativa e intermediários podem realizar esta atividade após o preâmbulo opcional da meditação (alongamento e relaxamento). Lembramos que, para evitar o desleixo ou a pressão nas pernas e pés, é indispensável a verificação constante da postura confortável, mas alinhada, bem como a atenção à respiração natural.

Primeiras vezes

Ao inspirar e expirar de forma natural — não se trata da respiração profunda —, nomeie silenciosamente a primeira pausa como número 1, ou seja, pense "1". A seguir, inspire-expire suavemente e conte o novo intervalo como sendo o número 2. Siga do mesmo modo até a pausa de número 7.

Inquietação, ansiedade ou pensamentos de todo tipo poderão fazer com que se perca a breve concentração contínua. Nesse caso, volte ao ponto inicial assim que perceber a distração e reinicie o foco na contagem de cada pausa a partir do número 1. Se for necessária uma nova contagem, aceite-a com naturalidade.

O tempo total aplicado a essa breve prática é de cerca de trinta segundos. No caso de haver muitos recomeços, não ultrapasse dois ou, no máximo, quatro minutos, para então encerrar a numeração. Esse cuidado com o tempo evita obsessão e perfeccionismo, além de introduzir o salutar treinamento de abrir mão de exigências desnecessárias.

Ao término da pequena contagem, volte o foco à respiração natural e à atenção ao corpo, com postura correta, mas sem tensão, e com a mente relaxada, porém alerta.

Mente rebelde

Na prática inicial de contagem do intervalo entre uma respiração completa e outra, é possível que a mente ainda esteja rebelde e dominada pelas distrações. As dificuldades de foco também podem ocorrer nos dias ou semanas posteriores, em que se aumentam os blocos de contagem. Caso a atividade torne-se penosa em dado momento, considere deixá-la para o dia seguinte.

Muitas vezes, principalmente na fase inicial, é mais sábio render-se aos caprichos da mente inquieta do que tentar dobrá-la. O importante é não desanimar nem se recriminar. Como sempre, só constate o fato sem julgar. Paciência e persistência são duas grandes qualidades que a prática meditativa desenvolve.

Após algumas práticas, quando se sentir confortável, aumente o número de 7 contagens para 14. Na semana seguinte, avalie se já está pronto para contar 21 pausas, que formam um ciclo de atenção.

A atividade completa de um ciclo, com 21 respirações ou pausas sem recomeço, poderá tomar cerca de dois a, no máximo, quatro minutos, dependendo do ritmo individual. Após o final da prática, volte o foco somente à respiração natural e à postura do corpo.

Não se esqueça de voltar ao início em caso de distrações, mas sem ultrapassar os quatro minutos, mesmo que não tenha completado a contagem de 21 inspirar-expirar que compõem um ciclo: abra mão de exigências desnecessárias ou obsessivas.

Desenvolvimento da prática

Após algumas semanas de prática consolidada, caso se sinta confortável, acrescente mais quatro ou cinco ciclos de atenção; depois de mais algumas semanas, aumente o tempo para sete ciclos. O tempo total dos sete ciclos de atenção na numeração dos intervalos entre as respirações (inspirar-expirar) será mais ou menos de 20 a 30 minutos.

Com sete ciclos de vinte e uma contagens em cada ciclo, se dá por encerrado este bloco da prática. Uma vez alcançado esse total, é aconselhável ao iniciante não se render ao desejo de retomar a numeração, pois o excesso nunca é salutar. Tal recomendação, no entanto, não se aplica ao meditador assíduo, com anos de prática.

III. VARIAÇÕES DA PRÁTICA

12. CONDIÇÃO PRAZEROSA

Serenidade e quietude

Após algumas semanas de prática diária de meditação, você percebe seu corpo confortavelmente sentado em postura meditativa. Ao prestar atenção à respiração de forma concentrada, alcança uma nova condição de serenidade e quietude interior.

O que gera essa qualidade? Ela ocorre porque, ao praticar, você se coloca por inteiro no espaço ocupado e com a percepção apurada. O corpo relaxado, mas atento, paira sobre o tempo presente, sem a antecipação do futuro ou a interferência do passado.

Familiarizado com a técnica shamatha, você, em estado meditativo, deixará os pensamentos chegarem e partirem sem alarido nem autojulgamento. Será também capaz de voltar sua atenção constante ao foco inicial proposto: a respiração natural e a postura correta. Funde-se, então, o tripé respiração, postura e relaxamento: o meditador respira e está corpo/mente no agora; e nada mais.

Com a prática continuada e diária, o meditador torna-se capaz de atingir a harmonia e a centralização interna. Sua ansiedade e a pressa constante diminuem, e ele transpõe para a maior parte do seu dia a dia a atenção ao momento presente, sem ignorar o passado e sem eliminar propósitos ou objetivos futuros. As sensações de alheamento, de "não estar lá" nas diferentes ocasiões e de não pertença diminuem consideravelmente.

Nesse nível, pode-se dizer que o praticante alcançou sua

própria permissão de usufruir o momento. Percebe-se uma clara redução de pensamentos recheados de associações aflitivas ou dispersivas, voltando-se mais, na vida diária, para pensamentos produtivos e sadios.

No repouso silencioso da prática meditativa, sem discurso mental e com percepção interna, experimenta-se a tranquilidade sem classificação nem limites. O instante fugidio de inteireza é vivenciado de forma integral. É por isso que esse estágio da prática é pura intuição e fruição.

A experiência meditativa de completude e presença total torna-se infinita e atemporal. A vivência do momento atual na plenitude da meditação se perpetua no agora. Como um paradoxo, o presente não fica comprimido entre o passado e o futuro imediatos, mas se revela duradouro. Não se trata de um tempo sem fim, mas de uma experiência que se caracteriza pela atualidade consciente e constante da unidade corpo/mente, sem ansiedades, apegos, desejos e aversões.

Não é um estado de indiferença quanto a situações, a pessoas ou a si mesmo, mas de sentimentos e emoções isentas de prejulgamentos ou pressupostos. Tal neutralidade equânime e tal equilíbrio da mente denotam atitude imparcial, alcançada com a prática constante da meditação avançada.

Aqui e agora

Quando você vivencia a total presença no local em que se encontra, experimenta a ideia material do *aqui* na área ocupada por seu corpo. Por sua vez, apreender o momento *agora* é mais difícil, pois se trata de um aspecto imaterial e fugidio por natureza.

No capítulo 3, "Mente serena e atenção plena", mostramos a relevância do momento presente; neste capítulo, aprofundamos as considerações sobre esse agora. É certo que o passado pode se tornar presente por meio da recordação. Porém, ele se caracteriza por mera lembrança pessoal. O futuro também pode se tornar atual, mas só pela imaginação e fantasia, o que não o transforma em realidade. Fica-se, assim, com o tempo constante do momento presente, ilimitado e intemporal.

Se visto sob o prisma do agora, o momento será quase palpável, apesar da quietude e do vazio de pensamentos e associações, de lembranças e anseios. É o momento presente em toda sua plenitude infinita.

Mesmo que seja por um átimo de segundo —, a vivência de inteireza e a presença nesse instante privilegiado marcarão você para sempre. Você compreenderá que é possível alcançar o patamar de unidade e tranquilidade que a meditação oferece. Experimentar o tempo presente permite que se perceba a vastidão insuspeitada e sem limites que a mente oferece com uma serenidade e uma paz jamais vislumbradas.

> **NOTA**
>
> Nas experiências iniciais de absoluta quietude interior, o meditador poderá perceber um estado semelhante ao êxtase. Este logo reflui, para ser substituído por uma alegria mais refinada e completamente liberta do possível estado de transe ou mesmo torpor. Neste momento, um alerta: você poderá ser capturado pela vivência centrada de quietude e serenidade interior e tender a permanecer nesse patamar da meditação.

Embora isso possa ser válido, recomendamos que prossiga além deste capítulo até concluir o capítulo 17, "Retiro prolongado". Caso queira aprofundar o conhecimento e a prática em estágios ainda mais elevados de shamatha (não apresentados aqui em detalhes), consulte a Bibliografia.

😊 PRÁTICA | PRESENÇA CORPO/MENTE — UMA AMOSTRA

É possível usufruir a sensação de permanência no interior da impermanência ou mutação contínua. Apesar da constante mudança que se apresenta na natureza da existência, experimentar a unidade do agora por meio da meditação facilitará o alcance do estado prazeroso.

Com a mente tranquila pela técnica shamatha, entregue-se ao momento presente. Tenha plena consciência do espaço ocupado pelo corpo, em equilíbrio interno e externo.

Perceba o conforto e preste total atenção ao procedimento de inspirar e expirar o ar de forma pausada e natural. Por uma fração de segundo, ou mesmo por alguns minutos, você estará imerso no perene fluxo da vida, vivenciando o eterno agora.

13. MENTE COMO FOCO

Reforçando os ensinamentos

Com o objetivo de reforçar os ensinamentos básicos, dando tempo para que o meditador se torne mais proficiente, veremos neste e nos próximos capítulos várias possibilidades de foco, as quais atendem aos diferentes perfis de meditadores e respondem ao nível em que se encontram. As práticas de foco conduzem à presença física/mental e auxiliam na centralização e estabilidade interior, tanto na meditação quanto no cotidiano.

É natural que em seu treino diário você se encaminhe com maior frequência para algumas atividades e realize outras mais raramente. Assim, utilize o bom senso para decidir uma eventual mudança de prática, permanecendo em um novo foco de concentração por no mínimo alguns dias ou semanas, até que a nova atividade esteja bem assimilada — isso não vale, porém, para as práticas que não devem ser repetidas com frequência.

Resista à tentação de saltar de uma atividade para a outra. A mente gosta de novidade e, se lhe forem apresentadas variadas opções simultaneamente, não atingirá a finalidade básica do treinamento shamatha: acalmar mente/corpo por meio da atenção e apaziguar o coração.

Mantra pessoal

O objeto de foco será agora o desenvolvimento do mantra pessoal, que tem por finalidade balizar o pensamento do dia a dia de forma construtiva. Ele funciona como antídoto contra os estados mentais negativos, pois descondiciona a mente dos seus hábitos corrosivos.

Padrões mentais negativos apresentam pensamentos ansiosos ou emoções como os de impaciência, raiva, tristeza e medo. Expõem também a inveja, depressão ou culpa. Tais padrões podem surgir tanto no cotidiano quanto durante a prática meditativa, o que é mais comum para iniciantes, embora praticantes experientes não estejam imunes. Sua origem, que pode ser genética, psicológica ou contextual, não é relevante no âmbito da meditação. Se necessário ou conveniente, os padrões poderão ser analisados na área da psicologia.

A boa notícia é que as memórias das células nervosas do cérebro e do corpo podem sempre ser acrescidas de associações novas e salutares, se assim for o desejado. Afastar o hábito de ter somente lembranças negativas depende de decisão própria. O cérebro é maleável e poderá ser, em parte, reconfigurado.

> **CONCEITO | RESILIÊNCIA**
>
> O ser humano é capaz de se superar e curar as mais profundas feridas de um trauma violento. A teoria sobre a restauração do comportamento social e individual dos animais e seres humanos recebeu o nome de *resiliência*, emprestado da física. Nessa ciência, resiliência diz respeito à capacidade elástica de um corpo voltar à sua forma original após uma tensão deformante. A possibilidade de uma pessoa se recobrar de traumas é animadora e afasta a ideia de determinismo derrotista.

O benefício do mantra pessoal é permitir que o meditador modifique, ao menos em parte, seus pensamentos e os padrões mentais deletérios que se formaram ao longo da vida. Quando você decide como pensar, possivelmente suas ideias, emoções e estado mental ganharão qualidade. Utilizado em qualquer tipo ou linha de meditação, o mantra pessoal permite limitar a ansiedade e induzir a autoestima.

Como nos demais exercícios meditativos aqui apresentados, a técnica básica da confecção do mantra pessoal prevê não analisar psicologicamente tais emoções, sentimentos e lembranças, mas somente constatá-los. Se desejar ou precisar, você poderá tratar tais assuntos fora dos momentos de prática.

Embora o mantra pessoal ofereça benefícios emocionais, resista à ideia de associá-lo a uma técnica de autoajuda ou fórmula de felicidade. Aborde sua elaboração com paciência e como uma prática de foco.

> **NOTA | CONTROLE MENTAL**
>
> A composição do mantra pessoal dirige-se a pessoas que não apresentam patologia mental ou perturbação emocional grave. Os distúrbios — sejam eventuais ou frequentes — devem ser tratados nas áreas psicológica e médica.

Identificar o mundo mental

O mantra pessoal é formado por palavras ou frases escolhidas pela própria pessoa que visem reduzir a intensidade do modo prejudicial de pensar e agir, mas sem se prender à autoanálise ou à busca da origem dos estados negativos da mente. Deve ter no máximo três palavras, de modo a não dispersar o pensamento e a atenção quando for utilizado no dia a dia.

O primeiro passo para desenvolver um mantra pessoal é identificar a própria atitude ou padrão mental. Parece difícil, mas cada um conhece seu ponto fraco e o sentimento ou pensamento recorrente que solapa a própria energia e a criatividade.

Existe uma vasta gama de autopercepções negativas envolvendo falta de atributos ou de atrativos e qualidades pessoais. Se a pessoa, por exemplo, se considera sem inteligência, sem memória, tem raiva nos momentos de estresse ou ansiedade excessiva, pode viver por anos, ou mesmo toda a vida, sob o jugo psicofísico da menos-valia e da aflição. O mantra pessoal afirma o oposto do atributo negativo como forma de superar essa situação depreciativa.

Para escolher o mantra, exclua qualquer palavra desabonadora. Alguém, por exemplo, pode se sentir "burro". Termos como este, ou alguns até cruéis, aumentam a sensação de menos-valia. Assim, adote palavras como "sou inteligente" ao invés de utilizar "não sou burro". É necessário e salutar abrir caminhos favoráveis no cérebro, e isso se dá por meio de pensamentos, palavras e ideias construtivas e positivas constantes, sem o advérbio "não".

Repetir todos os dias o mantra pessoal elaborado permite a diminuição das associações autodepreciativas que se carrega por anos. Assim, amenizam-se os hábitos, padrões e condicionamentos deletérios que impedem o bom desempenho e a aceitação de si, de modo que o cotidiano se torna mais alegre.

O mantra pessoal traz ainda uma objetividade construtiva que possibilita realizar projetos e anseios antes minados pela autodepreciação.

Utilizar as palavras que compõem o mantra pessoal, após a meditação ou durante o dia, ajuda a minimizar a insegurança e as concepções negativas a respeito de si, sejam de inferioridade, manifestadas por frustrações, sejam de superioridade, manifestadas por soberba. Surge um fortalecimento sadio da autoestima que aflora e se instaura ao longo dos meses. Um círculo virtuoso se inicia: à medida que diminuem os estados mentais negativos, aparecem o perdão, a tolerância e a paciência consigo mesmo e com o próximo.

☺ PRÁTICA | O MANTRA PESSOAL

Nesta atividade, você irá identificar seus pontos emocionais vulneráveis para, então, elaborar o mantra pessoal. A atividade de mantra pessoal tem duas etapas separadas: preparação e utilização.

Preparação

Pratique a meditação por no mínimo quinze minutos. Só depois, com o corpo/mente sereno e alerta, inicie uma autoinvestigação.

Por alguns minutos, identifique seus pontos emocionais vulneráveis de forma cuidadosa e honesta. Faça uma pequena lista mental das dificuldades que o restringem na vida e, se quiser, tome nota.

Somente no dia seguinte, a qualquer hora, após nova reflexão criteriosa, eleja e confirme entre um e três itens mais importantes, ou seja, os que mais o tocam ou incomodam. Eleja somente até três itens, pois um maior número poderá confundi-lo e atrapalhar a concentração na lembrança e utilização do mantra.

Evite dar qualquer informação a outras pessoas sobre a técnica utilizada no preparo do mantra pessoal, principalmente durante sua elaboração. É imprescindível que você não revele os itens possíveis de serem escolhidos ou os itens já eleitos a amigos e parentes. Isso porque as ponderações com terceiros sobre o assunto perturbam a sua própria escolha dos itens — que devem ser de foro íntimo e individual. Os comentários também abrem possibilidades de interpretações que diminuirão a eficácia do mantra. No entanto, se você estiver sob tratamento psicológico ou psiquiátrico, considere se cabe conversar com o terapeuta sobre a atividade.

Escolha com extremo cuidado as palavras do mantra afirmativo, tendo em vista que você permanecerá com ele por um tempo muito extenso, de meses ou mesmo anos.

Utilização

Uma vez estabelecido o mantra (no máximo, três palavras), repita-o mentalmente com bastante frequência durante o dia, inclusive ao acordar. Naturalmente, ele pode ser incorporado ao final de cada prática meditativa, se assim o desejar.

14. OBJETOS EXTERNOS COMO FOCO

Do simbólico ao singelo — Visualização
Neste capítulo, o objeto de foco continua sendo a respiração/postura/relaxamento iniciais, com o acréscimo de um elemento externo. Para isso, primeiro, realize a meditação básica de quinze a vinte minutos, apoiando-se no foco da contagem entre as respirações, por exemplo. A seguir, com mente calma e conforto corporal, inspire e expire profundamente por três vezes e incorpore a atmosfera criada.

Só então eleja um foco externo, que pode ser uma imagem religiosa, um símbolo significativo para o meditador, uma mandala, ou ainda a aparente imobilidade de uma montanha ou a imagem de fluidez da água. Pode ser também um objeto singelo do cotidiano, como uma fruta, um legume ou uma planta. Pratique a atenção ou visualização ao foco externo por três a dez minutos e se dedique por uma semana somente ao tema escolhido. A repetição dará mais consistência à prática do foco. O elemento ou objeto escolhido deve ser colocado a uma distância de um braço à frente. Descrevemos aqui outros exemplos.

Símbolo do yin-yang (☯)
No pensamento chinês, a estrutura do yin-yang representa a polaridade energética encontrada em toda e qualquer existência. Como símbolo do princípio gerador de tudo o que há no universo, o diagrama circular em preto e branco apresenta a formação de duas forças complementares e inversas, mas não

oponentes. Dentro de um círculo, as duas semicircunferências simétricas se apresentam invertidas e idênticas na forma. Têm o extremo arredondado de uma figura encaixado no extremo alongado da outra. Sua leitura e visibilidade devem ser feitas da direita para a esquerda; por essa razão, o aspecto yin é mencionado em primeiro lugar.

As figuras invertidas representam os aspectos feminino (yin) e masculino (yang), sem se limitar ao gênero humano. Yin-yang simboliza a complementaridade e a totalidade. O lado escuro (yin) e o claro (yang) representam, respectivamente, o dócil e o rígido, o repouso e o movimento, o intuitivo e o lógico, o contemplativo e o criativo, a terra e o céu. Com isso, tem-se a possibilidade ideal de equilíbrio na existência quer no mundo natural, quer no psicológico, quer no social.

Cada semicircunferência possui, no seu plano maior, um pequeno ponto de cor oposta: na área preta, há um ponto branco, e na área branca, há um ponto preto. Tal distribuição confirma a presença necessária do elemento diverso ou do princípio contrário, porém equivalente, em qualquer campo.

Quando os dois aspectos da figura se assemelham no tamanho e na forma, há harmonia e equilíbrio, sem com isso sugerir rigidez estática. Se um dos aspectos tem presença destacada, há desarmonia. No entanto, vale ressaltar que qualquer ação se compõe de processos cujas características são a oscilação e a mobilidade. Tais qualidades de movimento propiciam a transformação de uma entidade, ocasionando seu desenvolvimento e evolução.

Os sábios ensinamentos estão expressos no *Tao*, caminho salientado pelo velho mestre chinês Lao-Tse (Lao-Tzu), que teria vivido em cerca de 600 a.C., e por Chuang-Tse (Chuang--Tzu), em cerca de 369-286 a.C.

> 😊 PRÁTICA | **IMAGEM YIN-YANG**
>
> *Antes de iniciar a atividade, pratique shamatha ou outra linha meditativa por cerca de vinte minutos. Coloque a imagem yin--yang a um braço de distância.*
>
> Volte-se para a imagem yin-yang por um a três minutos, de modo a aprimorar a atenção e introjetar a mensagem de harmonia, interação e complementaridade. A configuração do desenho oferece serenidade e paz e poderá ser rapidamente relembrada algumas vezes ao dia. Lembre-se de piscar enquanto fita a imagem.
>
> Como curiosidade, após alguns segundos de olhar fixo sobre o centro da figura, experimente fechar os olhos para visualizar a invertida reprodução mental fornecida pela ilusão de ótica. Tome cuidado, no entanto, para que a imagem lembrada durante o dia seja somente a real; a reprodução mental é fugidia, o que pode causar desconforto ou aflição.

Devoção

Todas as religiões apresentam práticas devocionais. Para os praticantes de meditação com uma fé religiosa como a cristã, sugerimos a concentração devocional em uma imagem santificada ou em um símbolo expressivo, como a cruz.

PRÁTICA | IMAGEM RELIGIOSA

Tomemos, por exemplo, a figura de uma santa da religião cristã.

Pratique a meditação shamatha ou outra linha meditativa por cerca de vinte minutos. Só então volte seu foco à imagem da santa, colocada a um braço de distância.

Volte-se para a imagem da santa por três a dez minutos.

Comece visualizando sua base: verifique se a figura está apoiada em uma plataforma e se está representada sobre nuvens ou flores, por exemplo.

Mova a atenção para a vestimenta: repare nas cores, nas dobras e nos ornamentos.

Perceba o gestual das mãos, a postura da cabeça, se está ornada com uma coroa, com um resplendor ou coberta por um manto.

Na fisionomia, confira se há enlevo, placidez ou sofrimento; acolha sua mensagem.

Verifique se há ornamentação ou seres circundando essa imagem e o significado de cada elemento adicional. A simbologia está sempre presente nas imagens e contém mensagens ao fiel ou praticante. Sua interpretação, além de ser um excelente treino de atenção ao foco, possibilita assimilar, por meio de identificação prolongada através da prática, as qualidades positivas que a imagem revela. A visualização de um símbolo luminoso e inspirador positivo pode desencadear e conclamar o seu melhor.

Variações dessa prática incluem a utilização de figuras ilibadas, de pessoas já falecidas, e de divindades das diferentes tradições.

<u>Outros objetos externos de foco</u>

O rol de objetos a ser utilizado na meditação focada pode ser extenso, e cabe ao meditador eleger o item de sua preferência, que poderá ser uma jarra de água, uma pedra ou uma árvore, por exemplo. Nesse caso, lembre-se das raízes que lhe dão sustentação, observe o tronco e sua aparência, galhos, folhas, frutos ou flores, com suas cores variadas. Atente-se também para a configuração da copa e a sombra que ela projeta.

A orientação geral é começar por visualizar o formato do objeto, focar a observação da base para cima, seguido da cor e da textura, e até tocá-lo, se for possível ou conveniente. Explore seu conhecimento sobre ele por cerca de três a dez minutos, repetindo o foco escolhido por cerca de uma semana ou mais, em sua prática meditativa.

15. BEM COLETIVO

Alcance maior

Algumas práticas meditativas visam o bem coletivo, sendo centradas em sentimentos elevados e emoções generosas com um alcance que vai além do individual, como perdão, compaixão, gratidão e altruísmo. Essas práticas, denominadas *reflexivas*, poderiam reportar-se à psicologia e têm como finalidade instaurar ou confirmar as qualidades no espaço mental do meditador. Elas facilitam a própria vida e a boa convivência com os outros seres.

Neste capítulo, são descritas quatro atividades focadas no bem coletivo que podem ser incorporadas após a prática shamatha ou de outra linha meditativa. Só é aconselhável iniciar qualquer uma delas após o praticante ter alcançado centralização interna, com respiração tranquila, mente serena e conforto corporal, por cerca de vinte minutos de meditação.

Perdão

As variantes da prática do perdão podem ser incorporadas tanto à linha laica quanto à linha religiosa da meditação. Elas contribuem como recurso psicológico complementar no encontro do equilíbrio emocional. Por dissolverem a aspereza de sentimentos tristes e escondidos, são consideradas salutares na evolução positiva interior.

A prática de perdoar a si e de pedir perdão silencioso aos outros promove o exercício da humildade, propicia arrependimento e possibilita a autotransformação, além de cultivar uma nova orientação interior de abrandamento emocional.

Por sua vez, conceder perdão a terceiros pode levar à autossuperação da mágoa e do rancor resultantes de algum mal vivenciado, tanto emocional quanto físico, produzido por uma pessoa, por grupos ou por situações impróprias e violentas. Assim, oferece resiliência, ou seja, a capacidade de se recuperar em parte ou no todo dos abalos sofridos e de reaver o equilíbrio emocional. Propicia forças para extirpar de si o sentimento de não ter valor. O perdão não ancora no passado, mas possibilita o olhar para o futuro.

As práticas de perdão promovem a renúncia a continuar julgando e odiando a si e ao outro e libertam o meditador da constante autorreferência.

Se utilizadas no momento adequado e sem excesso, são altamente liberadoras. Identifique a época propícia para realizá-las de forma sincera e mantenha a firme disposição de abrir mão da amargura e do rancor, mesmo tendo sofrido ou provocado injustiças.

> **NOTA | CONTROLE MENTAL**
>
> Só faça as práticas de perdão de tempos em tempos, com cuidado, e após estar bem familiarizado com a meditação. As práticas de perdão produzem abalo sensível na unidade mente/corpo e deixam a pessoa suscetível a se tornar obsessiva pela autodesculpa ou na concessão de perdão a terceiros. Lembramos que a prática correta de qualquer meditação busca sempre o equilíbrio interno e se afasta dos extremos.

PRÁTICA

*Atenção: as práticas do perdão duram **segundos**, e não minutos. A prática do perdão a si mesmo ou o pedido silencioso e interior de perdão ao outro, a quem você provocou desgosto, pode ser utilizada com alguma frequência, mas sem exagero.*

Inicie a prática após cerca de vinte minutos de meditação shamatha ou outra linha meditativa, com a respiração serena e o coração apaziguado.

Primeira prática: perdão a si mesmo e pedido de perdão ao outro

Identifique um mal que causou a si mesmo e tome de cinco a dez segundos (não mais do que isso) no resgate dessa memória. Sem demora ou análise sobre o assunto, pronuncie mentalmente: "que eu seja feliz". Acolha o sentimento de alegria e relaxamento por alguns segundos. Usufrua essa atitude benevolente ou de boa vontade para consigo mesmo. Inspire e expire profundamente, por poucas vezes, para acalmar sua mente/corpo e — importante — não retorne ao tema.

Logo em seguida, em cinco a dez segundos (não mais do que isso), identifique uma pessoa a quem você provocou desgosto e transmita mentalmente (e não pessoalmente) seu arrependimento com uma frase simples e direta: "Peço perdão". Acolha seu arrependimento e o seu pedido silencioso de perdão ao outro. Dedique cerca de cinco segundos a esse sentimento, sem acrescentar justificativas ou autoexplicações sobre a ocorrência. Nesse momento, o contexto e a vivência passados não são relevantes.

Durante essa meditação reflexiva, que poderá liberá-lo da culpa e da autoimagem negativa, inspire e expire profundamente, por poucas vezes, para acalmar sua mente/corpo. Não retorne a esses temas e, com serenidade, dê por encerrada a breve prática.

Segunda prática: conceder perdão ao outro
Dedique somente cinco a dez segundos (não mais do que isso) a identificar quem lhe causou mal, sem entrar nos detalhes dolorosos. A prática silenciosa de conceder perdão a terceiros, a alguém ou grupo que lhe provocou dor emocional ou física (sem dirigir-se frontalmente a eles) não deve ser repetida antes de dois meses, no mínimo.

Com uma frase simples, direta (e não pessoalmente), com sinceridade, pronuncie mentalmente: "Eu o perdoo". Acolha o seu perdão ao outro, mas, principalmente, afaste-se das lembranças inquietadoras para se livrar de sua persistência.

Inspire e expire profundamente e por poucas vezes para acalmar sua mente/corpo. Tenha o cuidado de não retornar ao tema e, com serenidade, dê por encerrada a rápida prática reflexiva.

Compaixão

O sentimento de compaixão envolve uma série de disposições positivas. Entre elas estão a empatia, o altruísmo e a generosidade. Também compõem a compaixão a atitude ética, a lucidez, a imparcialidade e o amor. Dessa forma, a compaixão figura como construção de valores relevantes, sem traços de egoísmo e sem se restringir a religiões.

A exemplo das diferentes linhas de pensamento e das mensagens religiosas, a prática da compaixão é muito abrangente. Preserva a integridade e a dignidade de si mesmo e do outro ser humano; desconstrói os preconceitos e a irracionalidade. A compaixão tem como base o respeito à diversidade étnica, às diferentes crenças e à pluralidade de ideias.

A atitude de compaixão muitas vezes é entendida como um sentimento de benevolência para com o desvalido. Na verdade, a compaixão não sugere relação de superioridade de um ser para com outro, mas atende ao cuidado de se colocar *com* o outro. Na compaixão, há desprendimento, sem qualquer tentativa de compensar as próprias culpas e aflições. A qualidade da compaixão e a sua prática possibilitam a drástica diminuição da negatividade pessoal, como a inveja, o ciúme e o ódio, além de diminuir a arrogância e a competição desmedida; torna o substrato da mente auspicioso e positivo.

Um dos obstáculos para sentir e praticar a compaixão são justamente os problemas que afligem cuidadores de maneira geral, como assistentes comunitários ou pessoas com familiares que apresentam doenças mentais e físicas degenerativas. O desvelo constante à comunidade, ao outro ser humano e a exposição ao sofrimento físico e emocional, muitas vezes difícil de ser solucionado, podem gerar esgotamento pessoal.

Além disso, é possível haver culpa por um eventual desleixo, pela vontade de se desvencilhar de situações penosas ou até em decorrência do desejo de morte à pessoa atendida ou a grupos, sobretudo quando as circunstâncias são contínuas e avassaladoras.

Diante do estresse continuado, o cuidador, por exemplo, pode desenvolver um sintoma denominado *burnout* ou estafa que bloqueia (possivelmente como autodefesa emocional) os seus sentimentos de compaixão, solidariedade e altruísmo.

Com a prática reflexiva da compaixão na meditação, é possível amenizar o pesado fardo e oferecer a si mesmo paz e tranquilidade física/mental. É importante que, durante a prática da compaixão a terceiros, você se lembre primeiramente de si mesmo, praticando a compaixão a si próprio para se dar espaço e possibilidades.

Não se trata de sedimentar o egoísmo e a autorreferência, mas de ter objetividade e lucidez no gerenciamento das prioridades: ser bom consigo mesmo é o primeiro passo para a compaixão extensiva ao outro, seja uma pessoa próxima, seja a humanidade como um todo.

Estender a prática da compaixão à humanidade, aliás, é altamente salutar e confirma a consciência de que todos são cidadãos planetários. Porém, focar somente no global, voltando-se a seres sem fisionomia ou relação de proximidade consigo, poderá diluir a força da intenção. Assim, o aconselhável e benéfico é alternar o foco, dirigindo a prática tanto a pessoas desconhecidas e distantes quanto a seres mais próximos de si.

😊 PRÁTICA | PRÁTICA DA COMPAIXÃO

*Esta prática deve durar **segundos**, e não minutos.*

Após cerca de vinte minutos de meditação shamatha ou outra linha meditativa, com a respiração tranquila e a mente serena, lembre-se do padecimento físico ou emocional de alguém. Pode ser um amigo, cônjuge ou parente próximo que sofreu um acidente ou tem uma doença, ou ainda pais que perderam um filho querido.

Valendo-se do sentimento de empatia, coloque-se no lugar do acidentado, doente ou enlutado e reveja a dor física/emocional por que passou ou ainda passa, suas dificuldades e a força despendida para se recuperar. No caso de enlutados, sinta a profunda tristeza em conviver com a irreparável perda e seus esforços em amenizar os danos emocionais. Faça isso por não mais do que quinze segundos.

Ao refletir sobre as lembranças e sentimentos, envie mentalmente todo calor humano e solidariedade, desejando-lhes força e repetindo três vezes a frase: "Que haja paz, serenidade e equilíbrio interior". Inspire e expire profundamente e por poucas vezes para acalmar sua mente/corpo. Não retorne ao tema nos próximos dias ou semanas (faça-o somente em um ou dois meses, quando se sentir emocionalmente estável em relação ao assunto) e dê por encerrada a prática.

Gratidão e pertencimento

A prática da gratidão às benesses já recebidas está intimamente ligada ao senso ou juízo de autoaceitação. Aceitar o que você é não significa passividade ou resignação, mas acolher seus atributos próprios, suas limitações, as contingências e as eventualidades de sua vida.

Ter gratidão pelo recebido e avivar a memória sobre os fatos positivos já vivenciados anulam o hábito de somente relembrar os dissabores e desentendimentos com terceiros. A atitude construtiva e amorosa diminui consideravelmente a frustração, o desaponto por não se ver atendido em suas expectativas e ainda reduz a tristeza insidiosa.

Por sua vez, o conceito de rede interligada da existência salientado pela meditação vipassana, como veremos mais adiante, propicia ao ser humano a sensação de pertencimento a algo próximo e a algo mais extenso e relevante: a pessoa reconhece que não está só. Ela deixa de se sentir isolada dos outros e da natureza.

A constatação de fazer parte da rede da existência oferece grande conforto e acolhimento aos que sofrem do problema de afastamento de si e de terceiros. E o melhor: ao sentir gratidão e pertencimento, a pessoa pode ser estimulada a transmitir essa emoção aos amigos, familiares ou parceiros, de modo que é criado um círculo de boa vontade e altruísmo. Revela-se o sentimento de cooperação e esforço conjunto, comportamento que possibilitou à espécie humana atravessar os milênios e chegar até aqui.

> ☺ PRÁTICA | **PRÁTICA DA GRATIDÃO E DO PERTENCIMENTO**
>
> *A prática reflexiva de gratidão e pertencimento dura* **segundos***, e não minutos.*
>
> Após cerca de vinte minutos de meditação shamatha ou outra linha meditativa, com a respiração tranquila e a mente serena, lembre-se de algum afeto, compreensão e cuidado recebido, fortuito ou repetido, de qualquer pessoa. Sinta-se inundado pelo sentimento de gratidão pelas benesses já recebidas, mas ainda não contabilizadas. Aceitar tanto a realidade boa quanto a áspera sem arrogância ou resignação facilitará a identificação das dádivas que a vida porventura proporcionou.
>
> Em seguida, visualize alguma cena da natureza que lhe

agrada, como o movimento das ondas do mar, a placidez de um lago, plantas, flores, animais ou a imagem do universo no qual estamos conectados. A consciência da rede interligada e interdependente de tudo e de todos traz a sensação de pertencimento e unidade.

Altruísmo

O altruísmo está associado ao sentimento sadio de compartilhar, alheio ao exibicionismo. O meditador altruísta se encontra livre da excessiva autorreferência e do narcisismo, da condição de superioridade e da arrogância, e não apresenta desconsideração e menosprezo pelo outro e tampouco pela natureza. Tendo alcançado uma atitude imparcial ou equânime, ele não aguarda recompensa ou reconhecimento por suas ações e pensamentos.

😊 PRÁTICA | PRÁTICA DO ALTRUÍSMO

*Esta prática é endereçada somente a pessoas responsáveis pelo seu sustento e com equilíbrio emocional bem desenvolvido. Sua duração é de poucos **minutos**.*

Após cerca de vinte minutos de meditação shamatha ou outra linha meditativa, com a respiração serena e o coração apaziguado, inicie a meditação reflexiva sobre altruísmo por cerca de 4 minutos.

Volte-se em pensamento para o outro e para a situação ao seu redor. Identifique alguém próximo que necessita de compreensão e afeto ou possui qualquer outra carência. Ofereça mentalmente cooperação de forma generosa, porém sem ignorar ou prejudicar seu próprio bem-estar e alegria. O altruísmo trata, preferencialmente, da revisão de atitudes para com aqueles com os quais estamos familiarizados e convivemos constantemente.

Após a prática meditativa reflexiva e na oportunidade adequada, dê início à *ação:* disponha-se a ouvir o outro, sem contra-argumentar suas razões, para não criar diálogos improdutivos. Simplesmente esteja presente e atento. Se a carência for monetária, cuide para que seu procedimento seja desprendido, porém responsável, sem esbanjar bens e economias. De nada serve a doação de tudo se, posteriormente, você fica dependente do auxílio de alguém.

A ação virtuosa do altruísmo requer disponibilidade pessoal, mas sem prejuízo próprio e sem danos materiais. O altruísmo se encontra distante de constrangimentos familiares e perdas monetárias ou da utilização indevida de tempo durante sua ocupação remunerada.

16. PAZ, SAÚDE, FELICIDADE

Metta bhavana

Metta bhavana (lê-se *meta bávana*) é uma oração que pode ser proferida após a prática meditativa ou como finalização de alguma solenidade ou reunião. Deve-se aplicar atenção plena ao que está sendo dito ou ouvido (se proferida por outra pessoa).

Metta, palavra páli da antiga Índia, significa amor, bondade, afeto ou compaixão, sem visar benefício próprio; *bhavana*, em sânscrito e também hindu, refere-se à expansão mental, ao desenvolvimento interior e à serenidade, qualidades altamente cultivadas na maioria das práticas de meditação. Assim, metta bhavana trata do aperfeiçoamento dos sentimentos positivos de paz, saúde e felicidade e da ampliação espiritual.

É um dos ensinamentos meditativos proferidos por Buda e está incluído em sua preleção maior, *Metta sutta*. Sutta ou *sutra* significa, literalmente, fio. Sugere uma fiada de "sementes" ou ideias colocadas em fila, resumidas ou condensadas. São aforismos ou sentenças com mensagens esclarecedoras utilizadas por Buda e transmitidas a seus seguidores aproximadamente entre os anos de 600 ou 500 a.C. Neste capítulo, apresentamos a prática metta bhavana de forma livre e resumida.

Como a meditação shamatha, a oração metta bhavana também propõe a superação de condicionamentos prejudiciais e preconceitos adquiridos ao longo dos anos. Sugere evolução positiva interior por meio da visão do caráter sagrado existente nos seres e na natureza; volta-se para o benefício individual e coletivo.

A prática ressalta a reformulação da convivência, desgastada entre os seres humanos tanto no âmbito familiar como na esfera maior. Hoje, a convivência apresenta-se como um grande problema entre as nações, religiões, povos em migração, instituições, estabelecimentos e no seio das famílias. Opondo-se a isso, a preleção metta bhavana sugere respeito e aceitação mútua entre os mais próximos e os diferentes grupos, condição básica para um mínimo de harmonia e diálogo.

Sentimentos positivos e ampliação espiritual
A metta bhavana induz o praticante a perceber a humanidade como um todo, transcendendo diferenças de idade, gênero, crença, situação social, raça e nacionalidade, de modo a se libertar de padrões mentais corrosivos. Por ser abrangente e levar o praticante a se colocar como um igual entre todos, ela é classificada como prática da compaixão. A palavra "compaixão", como já apontado, refere-se ao reconhecimento da semelhança e da igualdade entre os seres humanos, sugerindo empatia, altruísmo, ética e solidariedade, e não atitude superior ou sentimento de pena para com o outro.

A oração pode ser praticada individualmente ou em grupo, sendo então conduzida por uma pessoa. Em ambos os casos, deve ser precedida por alguma prática meditativa.

> 😊 PRÁTICA | **A PRÁTICA METTA BHAVANA**

Medite durante pelo menos vinte minutos utilizando shamatha ou outra técnica meditativa. Com a mente serena e o coração apaziguado, inicie a oração universal metta bhavana. Se em grupo, a prática pode ser conduzida oralmente pelo orientador.

1. Visualize-se sendo banhado externa e internamente por uma luz, do alto da cabeça até a ponta dos pés, e pronuncie silenciosamente:

Paz — Saúde — Felicidade.

2. Visualize à sua frente uma pessoa neutra com quem você não tem vínculo algum (como um pedestre ocasional, por exemplo) sendo banhada por uma luz do alto da cabeça até a ponta dos pés e pronuncie:

Paz — Saúde — Felicidade.

3. Visualize à sua frente um amigo ou animal de estimação, vivo ou já falecido, banhado por uma luz do alto da cabeça até a ponta dos pés e pronuncie:

Paz — Saúde — Felicidade.

4. Visualize à sua frente um adversário ou desafeto (mesmo que lhe seja penoso) sendo banhado por uma luz do alto da cabeça até a ponta dos pés e pronuncie:

Paz — Saúde — Felicidade.

5. Visualize as pessoas ao seu redor (se em grupo), os habitantes de sua casa, do escritório, os que ali trabalham ou os visitantes sendo banhados, cada um, por uma luz do alto da cabeça até a ponta dos pés e pronuncie:

Paz — Saúde — Felicidade.

6. Visualize os vizinhos da frente, de trás, do lado direito e do lado esquerdo (simbolizando o norte, o sul, o leste e o oeste) sendo banhados cada um por uma luz do alto da cabeça até a ponta dos pés e pronuncie:

Paz — Saúde — Felicidade.

7. Visualize o quarteirão onde mora, os quarteirões ao redor, a cidade, as cidades, o país, os países, todo o globo terrestre, ares e mares. Visualize tudo e todos sendo banhados por uma luz externa e interna e pronuncie:

Paz — Saúde — Felicidade.

Ao finalizar, inspire e expire serena e profundamente por três vezes.

17. RETIRO PROLONGADO

Treinamento intensivo

Apresentamos aqui uma descrição do retiro prolongado, atividade recomendada para meditadores intermediários e avançados.

O retiro prolongado é bastante utilizado em instituições, sejam budistas e hindus, sejam cristãs e laicas. Nele, um grupo se isola do burburinho da cidade e se dedica a diferentes formas de meditação, contemplação e, principalmente, silêncio. Sua duração pode variar. Em geral, vai de um final de semana a até dez dias, mas há os que dedicam ainda mais tempo à atividade, ficando no retiro por três semanas ou mais.

> **NOTA**
>
> O treinamento intensivo durante muitos dias seguidos em um retiro de meditação é altamente desaconselhado a meditadores novatos, pessoas com problemas psíquicos, adictos de drogas e pessoas que atravessam períodos conturbados ou muito difíceis.

Quem se utiliza das técnicas básicas e adiantadas da meditação shamatha e da vipassana reconhece-as em algumas orientações do retiro. A diferença entre a prática da meditação cotidiana e o retiro é que neste as atividades são realizadas com grande intensidade: o esforço da permanência em postura meditativa acontece por períodos mais longos; a mente fica sempre atenta à respiração e à postura, ou a algum objeto, mantra ou som; o cuidado para não dar continuidade a eventuais pensamentos ou devaneios é frequente.

Como atividade meditativa adicional, o retiro prevê ainda que cada praticante preste atenção constante e silenciosa às próprias ações. Assim, durante o dia, o meditador se atém a cada ação sua, como se alimentar, por exemplo. Há também atenção e cuidado com a limpeza da sala de meditação, dos quartos, banheiros ou cozinha, tarefas muitas vezes desempenhadas pelos próprios participantes.

A experiência mental e física é intensa e constante no decorrer dos dias e poderá provocar sensações agradáveis, desagradáveis, violentas, de fraqueza, de tédio, sensações sublimes ou mesmo sutis. O meditador percebe que os pensamentos vêm e vão. Podem surgir de forma caótica, intensa ou tranquila, conforme o momento pessoal e o período do dia.

O treinamento intensivo na maioria dos retiros propõe a observação de si mesmo e, se possível, sem autojulgamento e crítica a si e a terceiros. O praticante somente constata o que sente e o que pensa, na difícil tarefa de não dar continuidade aos pensamentos, às emoções e aos sentimentos.

Ao final de alguns dias de processo bem-sucedido, o meditador experiente poderá se encaminhar para a autopercepção profunda e para a expansão de seus sentimentos de amor e compaixão por todos os seres. Com procedimento mais altruísta e cooperativo, ele internaliza a unidade global e universal da rede da existência. É possível que, então, esteja livre de velhos preconceitos, de antigos padrões mentais, da hostilidade e da atitude crítica e depreciativa em relação a si mesmo e ao outro.

Na maioria das vezes, opera-se uma transformação duradoura em sua consciência ou a confirmação de valores positivos e espirituais, eventualmente já experimentados em seu dia a dia ou durante sua prática meditativa diária.

Um retiro prolongado associado à meditação ou com propósito semelhante pode receber diversas orientações por parte do condutor do evento. Uma das instruções mais utilizadas é a meditação caminhando, que apresentamos a seguir.

Meditação caminhando

Também denominada "meditação andando" ou "meditação a pé", é bastante utilizada em oficinas ou workshops de finais de semana. Introduz variação à prática sentada e ajuda a vencer o eventual torpor durante a meditação e a movimentar os músculos do corpo. É uma forma de incentivar a convivência cordial e silenciosa do grupo.

Pode ser praticada logo pela manhã e após as sessões de meditação sentada. O grupo pratica tanto em espaço aberto, ao redor da construção onde se desenvolvem as atividades, andando em fila antes ou depois do café da manhã, quanto caminhando em círculo no recinto fechado da meditação sentada.

A meditação caminhando é recomendável para pessoas ansiosas, pois o ritmo sequencial e tranquilo, adequado à prática, oferece pronta serenidade.

🙂 PRÁTICA | EM MOVIMENTO

O foco desta atividade é o ato físico de caminhar, e não mais a atenção à respiração. Individual ou coletiva, a prática da meditação caminhando dura de dez a vinte minutos, podendo ser prolongada conforme o propósito. Quando em grupo, as orientações serão fornecidas pelo orientador do workshop.

Em um recinto fechado, caminhe descalço, com ou sem meias. Ao ar livre, se houver risco de ferimentos, use tênis ou sapato confortável de sola flexível. Já em ambientes externos limpos e seguros, como areia fofa ou gramado regular, pode-se andar descalço.

Após a meditação sentada, que em geral é feita em recinto fechado, geralmente é sugerido estender as pernas, girar os pés em pequenos círculos e fazer uma breve automassagem nos joelhos, sem ruídos altos ou comentários. Em decorrência da imobilidade anterior, é comum ouvirem-se estalidos das articulações, algo natural que, em uma prática em grupo, não deve causar constrangimento aos participantes.

Em seguida, os participantes levantam-se e, sem afobação, afastam sua almofada, banquinho ou cadeira para não atrapalhar a caminhada. Então, tem início a caminhada em círculos, em sentido horário ou anti-horário.

O deslocamento não deve ser nem tão rápido, que traga ansiedade, nem tão lento, que possa provocar desequilíbrio.

O andamento será definido pelo orientador, conforme o propósito e a característica dos participantes. Nesse caso, a distância entre cada pessoa costuma ser equivalente a no mínimo um braço estendido para a frente. Assim, evitam-se atropelos.

Orientações úteis: Caso venha a participar de um workshop de meditação, não fique apreensivo com seu desempenho nem se compare aos colegas. Cada pessoa tem sua constituição física peculiar e caminhar próprio. No entanto, não perca de vista a presença dos outros participantes e esteja atento também ao entorno.

Com os ombros alinhados, volte o olhar para a frente ou para baixo, mas não para os próprios pés, evitando a curvatura dos ombros. Lembre-se de alongar a coluna, aproximando levemente o queixo ao peito. Deixe os braços livres ao longo do corpo ou una as mãos; para uni-las, deixe uma sobre a outra (não importa qual permanecerá acima) ou entrelace os dedos; os braços ficam levemente afastados do corpo.

Atente-se para a sequência dos próprios pés e para o ritmo do caminhar, sendo este o foco central da prática. Perceba o contato de cada pé com o chão: sinta primeiro o calcanhar, em seguida a planta dos pés e, por último, os dedos, numa sequência harmônica e suave, sem etapas abruptas. Esse contato contínuo com o chão, como uma onda, e o movimento para cima e para baixo de cada pé trarão tranquilidade e reduzirão as tensões. Conforme você for se adaptando ao caminhar, devem desaparecer uma possível ansiedade inicial e o leve desequilíbrio físico.

Como sempre, preste atenção também às percepções internas — mas sem analisá-las — e ao seu corpo, assim como à respiração e à postura de quando em quando.

Guarde absoluto silêncio e ausência de qualquer comunicação visual ou gestual com seus pares, quando em grupo. Durante o caminhar, o silêncio é uma forma de consideração para com os participantes, a menos que as instruções iniciais do orientador sejam outras.

Os participantes podem utilizar o banheiro ou tomar água durante a prática, deixando o círculo quando passar em frente à porta do recinto. Ao retornar à prática, sua inclusão no círculo será aleatória: se dará de preferência atrás do participante que passar em frente à porta de entrada naquele momento. Essa atitude — não aguardar ou atravessar o interior do círculo para alcançar o "seu" lugar anterior — faz parte do treino de discrição, comedimento e desapego à autorreferência, indispensáveis à meditação em geral e, principalmente, quando em grupo.

Em espaço aberto, plano ou levemente inclinado (sempre protegido e seguro), caminha-se em geral em um círculo delimitado e durante o dia. Na caminhada livre e em grupo, não é necessário formar uma fila. Nesse caso, convém estabelecer um horário para o começo e o fim da caminhada, bem como a rota a ser palmilhada. Como na prática em recinto fechado, permaneça calado, a menos que as instruções do mentor sejam outras.

O interessante de um espaço aberto como parques ou trilhas é a possibilidade que o meditador tem de desfrutar da natureza. A meditação ao ar livre solicita os vários sentidos e os expõe à diversidade do ambiente: o contato com sons e aromas, plantas e flores, e a visão do mar ou do campo. Suas dimensões e variedade incrementam a atenção e oferecem ao meditador deleite, serenidade e harmonização interna. Quando possível, os pés descalços ainda despertam o tato e novas sensações.

A meditação oriental pratica o caminhar natural ou o deslocamento ultralento, quando cada passo apresenta pequena distância um do outro, definida pela medida de meio pé. A postura dos braços e mãos é livre. Tal prática exige equilíbrio físico apurado e total concentração no processo de caminhar. Por isso, deve-se evitar a utilização dessa modalidade em locais públicos e movimentados.

IV. MÉTODO VIPASSANA

18. MEDITAÇÃO VIPASSANA

Visão clara e ampla

Este capítulo introduz outro importante veio meditativo: o pensamento vipassana (lê-se vipássana), também denominado introvisão ou visão interior.

O nome sânscrito vipassana, assim como o nome páli vipashyana (vipaxiana), significa "ver com clareza". Reporta-se à ideia de ter percepção analítica e clara sobre si mesmo e o que nos cerca, estendendo-se para a compreensão da natureza da existência: *interdependente, impermanente e impessoal*.

A visão ampla que vipassana oferece conta com ferramentas no campo da sabedoria e do bem viver. Esses ensinamentos aumentam a clareza e o entendimento no trato consigo mesmo e com a vida.

Aqui, apresentamos o resumo das duas técnicas vipassana e nos capítulos seguintes iremos examinar seus desdobramentos.

Visão analítica — Apresentação

Uma forma de técnica vipassana é a da visão analítica, que permite enxergar as ações cotidianas com objetividade e discernimento. Nela, você se vale de uma recordação: elege um fato negativo ocorrido consigo e com alguém envolvido na situação e percebe como reagiu. A finalidade não é se aprofundar na análise psicológica, mas constatar o evento de forma objetiva e neutra, retirando dele sua carga emocional. É um treino para desenvolver uma visão clara e direta sobre as situações cotidianas em geral.

Por meio da análise vipassana, busca-se ver o dia a dia com clareza, sem avaliação e julgamento crítico. Você isola os fatos de sua carga subjetiva e só os constata, sem se identificar ou se confundir com a situação analisada. Ao relembrar o fato, age como observador distanciado de suas emoções e do sucedido, mas sem indiferença ou insensibilidade consigo mesmo e com os outros.

A visão analítica possibilita ter um *insight*, ou compreensão instantânea, sobre determinado assunto que se encontra escondido ou permaneceu velado por um longo tempo. Além disso, alguma informação posterior não premeditada poderá surgir espontaneamente para o meditador, durante o cotidiano, e sem qualquer barreira emocional — como resultado do treino analítico vipassana.

<u>Visão reflexiva — Apresentação</u>
A outra forma empregada na técnica vipassana é a visão reflexiva, que trabalha sobre a explanação e a compreensão da verdadeira natureza da existência. Você amplia seu conhecimento e se depara com o princípio da interdependência no nosso mundo e no universo, em conformidade com alguns paradigmas científicos atuais. Alcança visão panorâmica ao perceber a unidade ou ligação de tudo e todos, constatando que somos parte de uma rede maior interdependente e impermanente, sempre em transformação.

Essa atividade é impessoal, ou seja, alheia à interferência de alguém ou de qualquer vontade própria. O movimento acontece em decorrência do *fluxo* constante e atemporal na natureza da existência.

Perceber a rede interligada — também denominada *interser* —, mutável e infinita com seus reflexos e conexões fornece o enfoque de que realmente somos *um todo* e, como tal, somos responsáveis por nós mesmos, pelos outros seres e pela natureza. A reflexão vipassana nos encaminha para uma nova mentalidade, com visão expandida do nosso mundo pessoal, do planeta Terra e do universo.

A visão ampla desenvolve postura ética e moral perante a vida por causa dessa ligação e, mais importante, diminui o apego autorreferente e o impulso de só pensar em si. O conhecimento da unidade ou malha a que estamos conectados traz uma nova postura, abrindo-se para o encontro relacional e o diálogo verdadeiro entre os seres, em substituição à separação, à ruptura e ao egoísmo muitas vezes presentes no nosso mundo.

O conhecimento da técnica reflexiva, além de ampliar o horizonte pessoal, possibilita a comprovação da espiritualidade, sentimento natural ao ser humano, sem que, necessariamente, você siga alguma religião ou esteja vinculado a uma fé ou crença mística. Você não se desliga do cotidiano, mas alcança patamares transcendentes.

As reflexões vipassana podem ser incluídas nas diferentes linhas de meditação, tanto leigas quanto religiosas. Veja nos capítulos seguintes os exemplos de visão analítica e de visão reflexiva que são utilizados nas práticas meditativas shamatha e vipassana.

19. VISÃO ANALÍTICA

Objetividade no cotidiano

A visão analítica vipassana, embora tenha um aspecto psicológico, não diz respeito a uma análise emocional ou à associação com diferentes vivências anteriores, e tampouco sugere resoluções quanto ao futuro. Com o objetivo pontual de autoconhecimento, a técnica utiliza a lembrança de algo vivido pela própria pessoa.

Nesta prática é imprescindível que o fato relembrado não tenha relação com parentes ou pessoas de convívio constante. O parentesco ou a proximidade pode gerar diálogos mentais recorrentes e alheios ao propósito da prática.

Quando for realizar o treino analítico, só o inicie tranquilo após dez a vinte minutos de prática shamatha. Relembre, então, alguma situação que lhe provocou desconforto ou contrariedade. Identifique-a, apenas, sem exames profundos. Constate o que sentiu de forma objetiva e simples. Isole os fatos da sua carga subjetiva e abstenha-se de uma autoanálise psicológica mais profunda. Essa atitude treina a ver com clareza uma situação cotidiana — apenas como aconteceu, nada mais. Ao final, formule uma frase silenciosa, curta e objetiva que resuma o ocorrido.

Como exemplo de um fato a ser recordado, tomemos a situação de uma pessoa que sai de casa para uma entrevista de emprego: sua roupa e sapatos são pouco confortáveis e o ônibus onde se encontra está relativamente cheio. Por alguma razão, o motorista não para no ponto em que ela deveria desembarcar, mas somente duas quadras adiante. A caminhada de retorno ao local da entrevista torna-se exaustiva e repleta de pensamentos desagradáveis.

Semelhante ao exemplo, você pode relembrar algum incidente ocorrido consigo mesmo rapidamente e com honestidade, sem qualquer análise maior, percebendo, em poucos segundos, as emoções que afloraram naquele momento, como raiva, frustração, angústia, injustiça, autopiedade e tantos mais.

PRÁTICA | EXERCÍCIO DE OBJETIVIDADE

Faça por dez a vinte minutos a meditação shamatha ou outro tipo de meditação, até estar com o corpo e a mente tranquilos. Embora a explicação da prática vipassana seja longa, sua execução deve durar somente **três minutos** *e não deve ser repetida antes de 15 dias.*

Após a prática meditativa e ainda na postura de meditação, relembre um fato pessoal, um evento desagradável envolvendo somente desconhecidos e, de preferência, recente. Não se detenha na dúvida sobre dois ou três assuntos; eleja a lembrança que apareceu em primeiro lugar.

No chão à sua esquerda, visualize um círculo imaginário. Coloque nele a lembrança do acontecimento e as emoções que suscitou.

Imagine então que, quando você vivenciou o fato, se formou uma espuma emocional de pensamentos rancorosos. Reconheça-os. No exemplo da entrevista de emprego, a espuma seria feita de ressentimento, ansiedade e tantos outros pensamentos relacionados ao ônibus que não parou no ponto, ao imprevisto percurso a pé e à entrevista.

Depois de reconhecer os pensamentos recorrentes do seu fato pessoal, retire mentalmente essa espuma emocional com o auxílio de duas colheres imaginárias. Transporte-a, então, do círculo à esquerda para um novo círculo imaginário, desta vez à direita.

Em seguida, de forma objetiva, imagine colocar só a síntese da recordação do incidente em um círculo à sua frente. Use uma frase sucinta que descreva o acontecido, e apenas isso, sem julgamento de valor ou opiniões. No exemplo da entrevista de emprego, a frase seria: "o ônibus parou duas quadras depois do ponto" e nada mais.

Tenha o cuidado de não carregar sua frase pessoal com expressões rancorosas ou hostilidade para com o outro, no caso o motorista. Dispense também adjetivos ou atribuições de culpa e autojulgamento depreciativo. Seja simples, rápido e direto nessa prática.

Resumindo: à esquerda, vai a lembrança do acontecido, com as emoções que suscitou; à direita, só a espuma dos pensamentos negativos; no centro, a frase simples, sem carga emocional ou julgamento.

Ao término dos três minutos do exercício analítico vipassana, silencioso e individual, permaneça por cerca de mais dois minutos com a atenção voltada às expirações lentas e prolongadas, sem ruído, para realmente acalmar as sensações e os pensamentos. Como última etapa, preste atenção somente à respiração natural, sem voltar à lembrança do exercício proposto ou a comentários mentais, por mais difícil que seja.

Há muitos temas a se explorar dentre aqueles com forte potencial emocional, mas sem o envolvimento de parentes ou pessoas próximas ao seu cotidiano. Como exemplos, temos: irritação com episódios no trânsito, contrariedades por que passam consumidores e, "do outro lado do balcão", as dificuldades vividas por atendentes e prestadores de serviços.

Convém lembrar

Não use eventos com pessoas próximas — Evite tratar de questões que envolvam parceiros, parentes, amigos, colegas, chefes ou subordinados. Isso gera diálogos mentais intermináveis e uma carga de emoções extremas.

Não comente seu evento — Mantenha sigilo sobre seu evento, inclusive com o orientador ou os colegas de uma meditação em grupo. Isso o libera de um possível embaraço relacionado à exposição, além de afastar opiniões e adesões de colegas quanto ao ocorrido. Mesmo depois de dias ou meses, use o silêncio para conter o impulso autorreferente de falar de si mesmo. Porém, se estiver em tratamento psicológico, a decisão de compartilhar a experiência com o terapeuta é só sua.

Seja breve — Não ultrapasse três minutos de atividade, para evitar autojustificativas e acusações que retiram a objetividade da prática. Com a insistência na lembrança, alimenta-se o ressentimento, que por sua vez cria monólogos internos intermináveis de reivindicação.

Identifique o que sente — Não bloqueie ou encubra suas sensações e emoções nessa atividade. Identifique-as sem julgar, com humildade e simplicidade. No futuro, ao realizar essa prática com diferentes temas, você poderá notar quais são suas reações mais recorrentes diante de situações de estresse, frustração e pressão.

Deixe passar — Deixar passar as emoções e pensamentos não significa alheamento ou indiferença, mas sim o difícil treino do desprendimento e desapego. O propósito é praticar a atitude de abrir mão do enredo e suas justificativas. Você treinará a desidentificação ou dessemelhança com o ocorrido e com o outro. Reduzirá o comportamento autorreferente e diminuirá seus padrões mentais deletérios.

Limite a carga — Ao final da breve prática, diminua a força do fato e de suas emoções. Não dê início a justificativas e diálogos mentais para não incentivar sua hostilidade com terceiros ou desenvolver pensamentos detalhistas e obsessivos. O fato permanece como histórico pessoal, mas sem carga emocional ou deliberação quanto a atitudes futuras.

Não abuse — Faça no máximo um exercício de objetividade a cada quinze dias ou mesmo um mês, se for iniciante na meditação. O excesso poderá desencadear algum desequilíbrio emocional, como tristeza ou raiva.

Em 1994, a meditação vipassana foi introduzida na prisão Tihar, em Nova Delhi, Índia, o que foi documentado no filme *Doing Time, Doing Vipassana* (1998). Adequada àquela situação particular, a técnica teve por finalidade oferecer instrumentos mentais/emocionais aos lá encarcerados, sendo uma alternativa para lidar com a reincidência.

20. VISÃO REFLEXIVA

A natureza da existência

Tudo interage, se encadeia e se transforma. Essa é a natureza da existência, que se manifesta na constante interdependência e impermanência de tudo e todos — no eterno fluxo impessoal. É disso que trata a visão reflexiva vipassana exposta neste livro. As observações deste capítulo são consideradas universais e, portanto, podem ser incluídas em diferentes práticas meditativas.

Interdependência e impermanência

Várias linhas de pensamento reconhecem a interdependência e a impermanência na natureza da existência. Há cerca de 2.500 anos, o indiano Sidarta Gautama, o Buda, expôs uma visão similar de rede em transformação, sem cunho religioso, que interconecta os seres e a materialidade em todas as direções. Hoje, biólogos, físicos, sociólogos e astrônomos também observam processos em conexão interativa e uma mudança constante em tudo, no nosso mundo e no universo.

Por meio do processo de transmissão, tudo é interligado, tudo possui uma herança, nada se autofaz, ainda que sejam possíveis alterações físicas por adaptação circunstancial imposta pelo ambiente. Desse modo, não há entidade autônoma, inerente, com qualidade intrínseca e isolada. Nada é original em qualquer ser ou materialidade. O que há é uma *existência relacional* de participação e troca no universo das coisas e dos seres.

Dado que o movimento ou fluxo é constante, nada é permanente ou igual ao que era na fração de segundo anterior. Como acontece uma disposição brevíssima e temporária de eventos sequenciais, há uma aparente paralisação no processo, o que sugere uma suposta permanência; porém, ela é ilusória.

Para essa ausência de independência e ausência de permanência os ensinamentos dão o nome de *vacuidade/vazio*. Como a existência é sempre o resultado de ocorrências *condicionadas* (dependentes de condição), interligadas e em transformação que, por sua vez, estarão em constante metamorfose — o ser humano é, ele próprio, amostra dessa mudança, desse fluxo.

Porém, ele não consegue apreender de forma espontânea a existência dessas interações ou influências mútuas. Também não capta que a sociedade, ou seja, o corpo social, se forma na interligação dos diferentes níveis e das diversas situações em constante mutação e interdependência. Ele ainda desconhece ou não releva a influência de seu comportamento no outro e o efeito que o procedimento alheio causa em si mesmo.

Levado pelos cinco sentidos (visão, audição, tato, olfato e paladar), o indivíduo tende a reconhecer qualquer entidade viva, corpórea e material como distinta e independente uma da outra e sem vínculo com o ambiente. Assim, vê e sente de forma iludida cada coisa e cada ser como isolado, com um contorno bem definido que o separa do resto.

Sem dúvida, os sentidos nos tornam aptos a sobreviver e agir conforme as circunstâncias, mas eles restringem, ao mesmo tempo, nossa compreensão maior sobre a verdadeira natureza da existência — interligada e transitória.

A impessoalidade no fluxo: o não-eu

O fluxo constante impessoal e insubstancial que está sempre acontecendo na natureza da existência é um processo que não depende de vontade pessoal ou interferência de alguém; o fluxo simplesmente existe. O desabrochar de uma flor, por exemplo, apresenta mudanças encadeadas e espontâneas, sem interrupção ou escolhas por parte da flor. O movimento está interligado e condicionado à sua semente, assim como às sementes anteriores, que para se desenvolverem dependeram das circunstâncias favoráveis do solo e do clima. Seguindo o percurso do seu desabrochar, a flor fenece em metamorfose na contínua linha da transformação.

Todo o processo ocorre de modo interdependente, sem escalas ou degraus. Imperceptível a olho nu, esse movimento estará sempre presente em qualquer existência, por conta da qualidade autônoma do fluxo impessoal.

Outro modo de compreender os ensinamentos de impessoalidade e insubstancialidade é nos reportando ao nível subatômico da física. Nessa instância, qualquer materialidade pode ser reduzida a padrões de probabilidades em interconexões — assim perdendo sua aparente solidez e permanência.

Passa-se a compreender que a representação do objeto total, visível e com aparência sólida torna-se inexistente. "Desaparece" a coisa material/corpórea de natureza composta, nomeada e distinta em sua forma. Em seu lugar, tem-se algo sem singularidade: uma jarra de água deixa de ser *a jarra visível* para ser percebida como uma dualidade onda-partícula no espaço, sem definição e presença.

Essa situação impessoal e insubstancial do fluxo que ocorre na existência leva os seres e a materialidade a serem destituídos de realidade intrínseca, inerente e durável. Para o fluxo — que é constante e presente em qualquer vida — dá-se o nome de *não-eu*.

- O termo não-eu

O termo não-eu empregado no budismo tem sido muitas vezes interpretado de maneira errônea. Um engano comum é relacioná-lo ao pensamento niilista, descrente de valores, com espírito destrutivo e cético. Outro é ligá-lo aos conceitos de negação sobre o propósito e o sentido da própria existência e das ações humanas. Um terceiro equívoco, e o mais recorrente, é associá-lo à anulação da individualidade e à negação do ego psicanalítico, por conta do uso do pronome *eu* com o advérbio *não*.

Não-eu é uma alegoria, uma ideia simbólica sobre a mutação existente. As duas palavras reunidas fazem referência ao fluxo impessoal e insubstancial que ocorre em todos os seres e na materialidade, transformando-os constantemente: tudo muda, não há permanência ou igualdade à fração do segundo anterior.

O conceito, que somente se refere à impermanência, não exclui o nosso senso de individuação, de nossa singularidade e da responsabilidade por aquilo que fazemos, pensamos ou dizemos. Com a percepção correta do termo não-eu, compreende-se que a forma independente e permanente da materialidade é mera aparência e ilusão.

> **NOTA | EVOLUÇÃO**
>
> Ao que se sabe, há 3 bilhões de anos que se evolui como seres vivos, provenientes de uma bactéria! São evoluções que aconteceram e acontecem de forma interconectada, em constante transformação e complexidade, com o fim de sobreviver.
>
> Aos religiosos e crentes ocorre sempre a pertinente pergunta: "mas como surgiu a bactéria?".
>
> Independentemente de qualquer interpretação, crença ou significado, hoje se deduz que é nossa responsabilidade, como seres que percebem pelos sentidos e pelo pensamento, auxiliar na manutenção e continuidade de toda e qualquer vida nesta Terra, para não ser o autor ou incrementador da destruição da existência.

Visão distorcida da realidade

Os textos do budismo salientam o *engano* a que o ser humano está sujeito por conta de sua ignorância sobre a verdadeira natureza da existência — interdependente, impermanente e impessoal. Seu estudo e entendimento oferecem ao meditador a compreensão dos conceitos entrelaçados de *ilusão, sofrimento, apego* e *desejo* que acompanham a humanidade, como resultado dessa ignorância.

Ilusão

O ser humano está equivocado ao se sentir separado e desvinculado dos outros seres e dos elementos do mundo natural. Além disso, por ignorar a impermanência, prende-se à materialidade, supondo-a duradoura, na falsa impressão de estar palmilhando um terreno sólido, controlado e garantido. No entanto, a experiência cotidiana apresenta a mutação, onde tudo se transforma e se interliga, como resultado do fluxo incessante, impessoal e invisível.

Sofrimento

A palavra sofrimento expõe situações tanto físicas, psicológicas, quanto filosóficas, sem ficar restrita à dor física, aos sentimentos e emoções pessoais. Aponta o sofrimento da insegurança que o ser humano experimenta ao se defrontar com a mudança, peculiar a qualquer ser. Ele tenta, inutilmente, congelar a mutação inexorável. O termo sofrimento também é utilizado nos ensinamentos como sinônimo da condição de sujeição à *anterioridade*, e ao ininterrupto *vir-a-ser*.

Apego

O traço ameaçador do efêmero, resultante do fluxo existente, encontra eco na disposição ao apego. Note que a palavra apego não é aplicada no sentido de afeição, mas no de condição de posse e obtenção de controle sobre os outros, sobre as situações, tanto materiais quanto emocionais. Descreve uma tentativa de preencher a sensação de insegurança e dar sustentação ao ego autorreferente. Como consequência, reforça o narcisismo e a fixação egoica na própria imagem, assim como o desejo desmedido de notoriedade e fama, tão presentes no mundo atual.

Desejo

O desejo de perpetuação da vida é um instinto natural no processo biológico, mas, por conta da volatilidade que o fluxo da existência apresenta e por conta da insegurança, o ser humano amplia e intensifica seus desejos. Almeja uma existência permanente, anseia pelo excesso de prazeres sensoriais, pela posse desmedida da materialidade e pelo domínio ou poder sobre pessoas e coisas, o que resulta em mais sofrimento na ciranda de infortúnios. O que os ensinamentos sugerem é conter o ímpeto dessas emoções para não dar mais consistência a elas. Outro desejo que assombra o ser humano é o anseio constante e infrutífero de que a vida fosse diferente em um passe de mágica.

Note que o desejo e as metas sonhadas não se referem à anulação de propósitos ou projetos pessoais, nem torna insignificante o sentido da própria existência. Ter propósito e sentido é construtivo e, se bem direcionado de forma responsável e objetiva com princípios éticos e morais, facilita o viver, oferecendo ânimo e valor ao cotidiano.

Esperança de oportunidades

Se o ser humano reconhecer e aceitar a presença da interdependência e da impermanência como condição natural da existência, sua vida será percebida de forma mais ampla e vivenciada como unidade espaçosa, compartilhada e universal.

Ainda que a mutação provocada pelo fluxo impessoal e inexorável pareça assustadora para alguns, ela expõe um movimento libertador. Apresenta uma realidade repleta de perspectivas e mesmo de otimismo com possibilidade de transformação pessoal. Confirma a renovação que ocorre na existência, proporcionando à vida humana a esperança de oportunidades inusitadas em qualquer nível, situação ou idade em que a pessoa se encontre.

Perceber a mutação e a transformação, constantemente acontecendo, oferece o desapego sadio, o "abrir mão" ou "deixar ir" das atitudes de rancor e mágoa — emoções prisioneiras do passado. A abertura para a nova percepção instiga para a amplidão de consciência e mudança renovada de mentalidade.

21. MAS "EU" NÃO EXISTO?

A individualidade no fluxo

O mesmo raciocínio sobre o fluxo impessoal e autônomo na natureza da existência é utilizado quanto à ideia de *ego* ou *eu*. Sob a ótica da impermanência, o que se entende por eu será compreendido como um composto psicofísico, também em fluxo, destituído de substância. Os ensinamentos entendem o eu como um termo que expõe padrões, marcos, acontecimentos, informações e subsistemas processados nas atividades neurais.

Como o pronome "eu" está associado ao nosso corpo (que acreditamos permanente), também emprestamos a esse ego uma solidez ilusória. É importante lembrar que o eu é uma aparência, um conjunto de configurações em mutação no processo do existir. O eu não apresenta nada de sólido, ainda que tal situação não exclua nossos deveres, alegrias, dificuldades, pensamentos, conhecimentos, sentimentos, sonhos, emoções e percepções.

Os conceitos de impessoalidade, insubstancialidade e de interação de tudo e todos não sugerem a anulação do cotidiano de cada um, as lembranças, o propósito ou projetos e o sentido da existência. Estes são regidos pelo complexo corpo/mente, pelas circunstâncias e pelo ambiente. As formulações apresentadas não negam a individuação e o seu passado, mas os integram ao presente.

Note-se que a psicologia, acertadamente, procura fortalecer a personalidade e a atividade psíquica da pessoa, com base na realidade, e o mesmo fazem as técnicas meditativas shamatha e vipassana, oferecendo ainda a possibilidade de superação da autorreferência excessiva.

> **CONCEITO | VACUIDADE, VAZIO, NÃO-EU**
>
> *Perceber e apreender os conceitos de vacuidade, vazio e não-eu, utilizados em alguns ramos da meditação budista, facilita a compreensão da natureza da existência e esclarece as vinculações de interdependência e impermanência sob a eterna ação do fluxo impessoal.*
>
> **Em tempo:** *Os conceitos de vacuidade e vazio não se associam às ideias de Deus e não se referem a divindades superiores. Por essa razão, o emprego da letra maiúscula é inadequado ao se referir a vacuidade e vazio.*
>
> *Apresentamos a seguir um resumo desses conceitos, que podem ser percebidos como entrelaçados, sem uma nítida fronteira divisória entre eles.*

<u>Vacuidade</u>

Em algumas linhas do pensamento budista, a realidade da interdependência é associada ao termo vacuidade (*sunyata*), ou seja, à falta de existência independente. Nada é autofeito e não há inerência intrínseca em nenhum ser ou materialidade, pois tudo está condicionado e dependente de algo anterior — de sua procedência.

O termo vacuidade também se refere à impermanência, ou ausência de permanência em qualquer ser ou objeto — tudo está em constante transformação ou mutação.

Vacuidade é empregada inclusive como sinônimo do silêncio mental que ocorre no *espaço disponível*, inato e primordial da consciência. Ali, quase não se registram sensações, emoções, sentimentos ou pensamentos. É uma condição de vacuidade infinita e de disponibilidade da mente para a possível e luminosa transformação pessoal/espiritual.

Vazio

O conceito de impermanência recebe ainda a denominação de vazio (*sunya*), com o mesmo significado de vacuidade ou ausência e privação de existência permanente.

Note que em alguns ramos da meditação budista e do yoga o conceito vazio também se refere ao estado mental consciente quase sem pensamentos e sem associações. O estado vazio é alcançado na estabilização meditativa superior e continuada, livre de autorreferência. É o estado de absorção ou estado transcendente e silencioso — diferente de transe ou ausência mental.

Perceber o espaço disponível da mente, durante a meditação, não deve ser motivo de inquietação ou medo de "perder a posse de si mesmo". Possibilitará, isto sim, a libertação de padrões mentais danosos e cotidianos, acompanhado da possível e saudável transformação interior.

Não-eu

Coexistente aos conceitos de vacuidade e vazio, há a abordagem sobre a insubstancialidade. Trata-se do fluxo e movimento de sutis vibrações, imperceptível, autônomo e impessoal, denominado não-eu (*anatta*). O fluxo sem substância está sempre acontecendo na existência, alheio à interferência de qualquer pessoa ou circunstância.

O conceito não-eu *não se reporta* à negação da personalidade de cada ser humano, mas à volatilidade e ausência de substância que o fluxo impõe. O termo é naturalmente extensivo ao composto psicofísico pessoal (comumente classificado como ego), destituído de substância material e permanência.

Os ensinamentos sobre a insubstancialidade reconhecem e confirmam a individuação e o conjunto de atributos de cada pessoa, e não anulam ou negam o cotidiano, as alegrias, os sofrimentos, os propósitos ou projetos e o sentido da existência.

22. PRÁTICAS REFLEXIVAS

Rede interligada e fluxo impessoal. Consciência luminosa
Após as reflexões sobre a natureza da existência nos capítulos anteriores, apresentamos aqui duas práticas reflexivas utilizadas na meditação shamatha e vipassana.

O objetivo da primeira (nomeada 1), ou prática da natureza da existência, é oferecer ao meditador a percepção da rede interligada e mutável que conecta tudo e todos, e propõe apreender o fluxo impessoal em qualquer existência. A prática aperfeiçoa a compreensão dos fenômenos de interdependência, impermanência e impessoalidade.

A segunda (nomeada 2), ou prática da vacuidade, trata da consciência transcendente do ser humano, luminosa e espiritual. A consciência se revela silenciosa e sem pensamentos, associações e intenções, conforme a perspectiva de alguns ramos do budismo que versam sobre a mente. A prática exemplifica a condição intangível do substrato superior da mente com seu imenso espaço disponível e inspira ou facilita as transformações pessoais interiores.

É aconselhável, primeiramente, ler as informações e orientações referentes às práticas 1 e 2 deste capítulo, para se familiarizar com a sequência e finalidade das ações.

Informações para a prática reflexiva 1
Antes de praticar a primeira atividade, vamos refletir sobre a confecção de um caderno pautado e com muitas páginas. Perceba, aos poucos, tudo o que é necessário para que ele che-

que até você. Imagine todos os recursos empregados, desde os processos ocorridos na natureza até as ações realizadas pelos seres humanos.

Note que não se vê de imediato a semente da árvore que originou suas páginas ou a qualidade do solo que possibilitou o desenvolvimento da árvore, com a interferência do sol e da água em quantidades adequadas. Tampouco a origem do petróleo subterrâneo, extraído para a obtenção da espiral em plástico que une as folhas, ou mesmo da tinta empregada para traçar as linhas ou colorir a capa.

Veja também como costumamos ignorar o fato de que as máquinas usadas para cortar o papel ou para deslocar e empilhar a madeira são o resultado do metal extraído da terra e de tantos processos empreendidos para a fabricação das máquinas.

Desconhecemos ainda a forma de transporte desse produto, se por terra ou água, o escoamento nos diversos percursos e os insumos necessários. Do mesmo modo, ignoramos o local de armazenagem e as inúmeras e encadeadas etapas da cadeia produtiva para sua comercialização e para que o caderno esteja facilmente disponível em nossas mãos.

Perceba as subsequentes e diferentes etapas do "processo caderno". Pense na quantidade de ferramentas utilizadas e de seres humanos envolvidos. Visualize os materiais empregados para a construção das moradias desses trabalhadores. Considere também os alimentos produzidos para o sustento deles, com toda a cadeia de ações de manufatura e distribuição envolvida. Observe a vestimenta deles, que, por sua vez, também tem uma sequência de processos: com matérias-primas vindas da terra, a intrincada e variada elaboração, além da distribuição e da venda.

Repare ainda na volatilidade que caracteriza e acompanha as etapas de todos os seres vivos — seu nascimento, evolução, reprodução, velhice e morte — e teremos aí o grande exemplo da interdependência e da impermanência. A mutação ou movimento acontece, de forma constante e para sempre, sujeitos à ação do fluxo imperceptível em qualquer existência e em todos os níveis — fluxo que não sofre a interferência de nossa vontade.

> ## 🙂 PRÁTICA | PRÁTICA REFLEXIVA 1 — A NATUREZA DA EXISTÊNCIA
>
> *Antes de iniciar a prática reflexiva 1 sobre algum objeto como almofada, copo de vidro ou computador, por exemplo, acalme a mente com a técnica shamatha por cerca de vinte minutos. Se preferir, utilize outra linha de meditação. Pratique a atividade reflexiva 1 por no máximo dez minutos. Assim, você evita a obsessão detalhista ou associações erráticas; o exemplo detalhado acima serviu para elucidar, sem que haja necessidade de seguir todas as considerações apresentadas. Ao terminar, faça três respirações profundas e prolongadas para acalmar a mente e continue a respirar normalmente por alguns instantes. Encerre as reflexões sem retornar a elas.*
>
> Constate as conexões de interdependência e impermanência do objeto escolhido. Desenvolva o conhecimento desse processo com suas conexões. Associe essas realidades com os conceitos de vacuidade/vazio, ou seja, ausência de existência independente e permanente. Perceba como a interligação e

> a mutação da materialidade e de todos os seres estão sujeitas à ação impessoal do fluxo ou movimento incessante, denominado não-eu. Internalize o objeto como algo integrado a você e seu mundo, sem qualquer linha divisória a separá-los, formando um todo na esfera material.

Informações para a prática reflexiva 2

A visão reflexiva 2 pode ser denominada prática da vacuidade. Tem por finalidade a revelação do terceiro estado mental denominado consciência básica e ao mesmo tempo principal; esse estado é inato e inefável. Conforme visto no capítulo 10, "Aprofundando shamatha", algumas linhas budistas apresentam três estados de consciência ou três dimensões da mente. O terceiro estado mental está oculto sob a consciência contemplativa e, ainda, sob a consciência cotidiana.

A prática reflexiva 2 visa essa instância superior de silêncio mental, na qual não se registram sensações, emoções, sentimentos e pensamentos, o que não significa um meditador ausente ou abúlico. O próprio espaço desimpedido da mente primordial é livre de conceitos, preconceitos e intervenções da autorreferência. A extensão sem limites ou vacuidade está sempre disponível e será uma experiência incomum durante a meditação avançada.

É na absoluta quietude mental que esse estado inefável ou quase indescritível irá se *atualizar*, ou seja, *passa de potência a ato*. Assim, a prática meditativa da vacuidade cria um ambiente propício à revelação dessa luminosidade interior, ao estado elevado e básico da consciência — presente em todos os seres. Note que sua revelação não necessita estar associada a conotações místicas.

> ### 😊 PRÁTICA | PRÁTICA REFLEXIVA 2 — VACUIDADE
>
> *Antes de iniciar a prática reflexiva 2, acalme a mente com a técnica shamatha por cerca de vinte minutos. Se preferir, utilize outra linha de meditação. Pratique a atividade reflexiva 2 por no máximo cinco a dez minutos. Ao terminar a meditação reflexiva, faça três respirações profundas e prolongadas para voltar a acalmar a mente e continue a respirar normalmente por alguns instantes. Encerre as reflexões sem retornar a elas.*
>
> O terceiro estado da consciência, ou nível de consciência básica e ao mesmo tempo superior e principal, é difícil de se revelar. Para facilitar a manifestação de tal estado mental durante a meditação, utilize as explicações desta prática da vacuidade:
>
> Como suporte meditativo, você pode imaginar e visualizar um lago tranquilo. Ele representará a consciência principal, livre, e sem traços de conceitos e preconceitos. Deixe-se levar pela tranquilidade que a visão lhe oferece e mantenha a respiração suave e repousante. Para completar a imagem, você visualiza as gramíneas nas bordas desse lago, representando os pensamentos, sentimentos e emoções que ocorrem durante a ação cotidiana (sem a sua intromissão neste momento da prática meditativa).
>
> Permaneça com a sensação leve de corpo/mente por cerca de cinco a dez minutos no máximo, acompanhada de inspirações e expirações tranquilas. A disposição estável física

e mental poderá contribuir para a revelação espontânea da vacuidade ampla e luminosa que somente se mostra quando não há a intenção do meditador.

Outro exemplo a ser aplicado na prática reflexiva 2 para melhor compreender a consciência superior e básica será a visualização da extensão celeste com seus planetas e estrelas. O imenso espaço reproduz a consciência primordial ou fundamental; os planetas e estrelas simbolizam os pensamentos, sentimentos e emoções que acontecem quando a consciência cotidiana está em ação durante qualquer atividade (pensamentos que não ocorrem durante esta meditação).

Permaneça com a imagem de amplidão por cerca de cinco a dez minutos acompanhada de inspirações e expirações tranquilas e repousantes. A disposição estável física e mental poderá contribuir para a revelação espontânea da vacuidade ampla e luminosa que somente se mostra quando não há a intenção do meditador.

Nas práticas avançadas vipassana faz-se a distinção entre os diferentes estados mentais com alguma facilidade. Percebe-se a consciência primordial e basilar como característica da instância superior que está presente, porém oculta em todo ser humano, e confirma-se a consciência cotidiana, que lida com os afazeres, responsabilidades, dificuldades e alegrias.

Mas é somente com disposição e empenho (sem obsessão) e com a característica de qualidade nas práticas meditativas que o estado de vacuidade irá se revelar. O que o treinamento requer é a atenção plena durante a meditação e uma entrega mental sem resistência e sem expectativas. A atitude pessoal de comando decisório durante a meditação passa a ser nula. Como consequência, a virtude da espera e da humildade para consigo mesmo se torna presente. O mesmo princípio de disponibilidade despojada do meditador e sem qualquer expectativa é notadamente utilizado no pensamento zen. O treinamento constante de uma atividade artística ou física, como o arranjo floral ou o arco e flecha, por exemplo, conduz o praticante ao estado de vacuidade, em que as flores e a flecha se dispõem a acontecer, espontaneamente e sem esforço.

23. PERCEPÇÃO MAIOR

Consequências benéficas

Após o estágio inicial e intermediário da prática meditativa, alcançamos uma área mais elaborada da meditação, em que a percepção de si mesmo e do entorno é ampliada e distante da autorreferência.

Aos poucos, a nítida consciência da conexão em rede facilita a prática do desapego e diminui o egoísmo, aprimorando o senso de humanidade e estruturando uma nova cultura lúcida e imparcial. Com isso, promove os valores universais de respeito a si próprio, aos outros seres e à natureza e aumenta o nível de bem-estar individual e da coletividade.

Honrar a si mesmo sem vaidade leva à transformação interior e à mudança de atitude e mentalidade. Dá-se mais um passo em direção ao aperfeiçoamento com qualidade, o que resulta em sensível evolução positiva no comportamento social de todos. Em termos mais extensos, a mudança construtiva de atitude pessoal poderá resultar no aprimoramento da humanidade. Será utopia essa visão expandida?

O mundo está em rápida transição, motivada por inúmeras combinações circunstanciais. Entre elas a influência da internet, que, por um lado, é benéfica por agilizar a comunicação, mas, por outro, é deletéria por tornar as relações imediatistas sem qualquer ligação emocional de médio e longo prazo.

Simultaneamente, as redes sociais passaram a oferecer infinitas possibilidades de mudanças positivas mundiais. Este é um momento propício para transformar e aprimorar a própria consciência na confirmação de valores humanos relevantes. Mesmo que você reconheça ser apenas um entre bilhões de pessoas, sua nova percepção consciente e informada, mais altruísta e cooperativa, influirá na somatória dos acontecimentos.

No entanto, nota-se ainda muita intolerância em relação ao diferente. Como exemplo, temos a objeção à escolha sexual e a dificuldade em aceitar outro grupo étnico. Há também a intransigência e rigidez apresentada por várias religiões, ou a oposição de alguns grupos ao pensamento distinto, quando este é novo ou desconhecido. Percebe-se, além disso, a divisão radical e oposta de ideias e de ações que criam, muitas vezes, problemas insolúveis para a convivência harmoniosa e coerente entre os seres.

A mudança pessoal de ver e sentir a si mesmo e aos outros de forma atualizada, por meio da meditação, por exemplo, cria uma ressonância positiva ao mais próximo, e assim sucessivamente, o que irá influir na coletividade como valor.

Com essa disposição possível de *mudança de consciência* forma-se uma onda vibratória construtiva, orientada para um mundo menos conflitante, mais racional e sensível. Apesar das guerras e da enorme desigualdade social, os reflexos individuais da mudança positiva interior criarão — e já estão criando — uma renovada e salutar mentalidade, na qual a interação solidária, a conexão e o diálogo poderão estar presentes.

A seguir, descrevemos as consequências benéficas para a humanidade que se desenvolvem inicialmente no meditador, quando ele toma consciência da interligação existente em tudo e em todos e a promove com objetividade.

Altruísmo e cooperação

Ao perceber a malha entrelaçada presente na natureza da existência, eliminamos as fronteiras com o diferente por meio da empatia e da solidariedade, superando qualquer barreira ou imposição de alguma ordem ou regulamento. Compreendemos a universalidade das emoções e sentimentos humanos, independentemente de culturas, línguas, gêneros, crenças e opiniões, o que possibilita apreender as semelhanças fundamentais encontradas na espécie humana.

Aprimoramos nosso senso de pertencimento e cidadania, com mais consciência do entorno, atuando com as pessoas e circunstâncias sem a expectativa de vantagens exclusivas e de reconhecimento. Também limitamos a competição destrutiva e a hostilidade gratuita. Confirmamos o propósito salutar de realização pessoal e coletiva; consequentemente, a cooperação, o altruísmo e o relacionamento pacífico são mais valorizados.

Responsabilidade

A percepção da rede interativa e interdependente facilita a compreensão do conceito hinduísta de causa e efeito denominado *karma* ou *carma*. A intenção, o pensamento e a ação positiva ou negativa exercido por uma pessoa produzem reverberações e ecoam sobre ela mesma e sobre os demais. Sempre haverá efeitos do passado no presente e consequências do momento atual no futuro imediato ou longínquo. Dentro dessa perspectiva, o ser humano passa a ter mais atenção sobre seus padrões mentais insalubres, agindo com maior responsabilidade diante dos eventos e dos sentimentos próprios e alheios.

Paralelo ao conceito de carma, há o pensamento quântico da indeterminação, ou seja, do movimento aleatório. Nessa seara, não há previsão do movimento das partículas, como fótons e elétrons, nem, portanto, o princípio do determinismo, de causa e efeito. Isso, porém, não dispensa a *escolha* responsável no pensar e no agir, quanto a nós mesmos, quanto à sociedade em geral e quanto à natureza. A opção e preferência de alternativas e possibilidades cabem a cada um — com discernimento e clareza.

Ética

A atitude imediatista com vistas ao resultado particular e egoísta, de proveito próprio e indevido, diminui. Tem-se maior cuidado com o lucro: para obtê-lo, procura-se não causar danos ao próximo, à humanidade e à natureza. O meditador é direcionado pela imparcialidade, sem julgamento prévio ou interesse particular nas ações e pensamentos. Também redescobre ou intensifica a sutil sensibilidade espiritual, sem necessariamente relacionar meditação com religiosidade.

Desapego

Reduz-se o apego às posses materiais, à autorreferência e ao egoísmo com base nas informações apresentadas na visão vipassana. Abrimos mão do desnecessário e descartamos o que é demeritório, tanto material quanto emocional, como negócios escusos, conceitos e ações danosas em qualquer nível e categoria. Livrando-nos ainda de julgamentos críticos, depreciativos e injustos sobre pessoas, assuntos e situações, alcançamos a libertação da própria destrutividade inconsciente. Desenvolvemos respeito pelo agir e pensar do outro e do diferente. Evoluímos, para melhor, como seres humanos.

Transformação
Por meio da vivência progressiva dos ensinamentos shamatha e vipassana, o meditador liberta-se da ilusão de que seres e coisas são independentes e permanentes e passa a ter a consciência da interdependência condicionada. Reconhece a mudança de tudo e todos ao considerar o fluxo impessoal que acontece na natureza da existência.

O conjunto dessas informações favorece percepções mais corretas, com vivências cotidianas ricas e profundas, propiciando transformações positivas emocionais e mentais. Com visão ampliada, é possível desenvolver liberdade responsável e atitude equânime nas diferentes circunstâncias. A consciência se expande e abre espaço para que a consciência básica ou primordial se revele em luminosidade.

V. TRANSCENDÊNCIA

24. CLASSIFICAÇÃO GERAL DAS PRÁTICAS SHAMATHA E VIPASSANA

O caminho para a centralização interna

Ao longo deste livro, apresentamos diversas práticas de meditação e conceitos referentes à consciência humana que podem levar à centralização interna com reverberações positivas no viver. Retomemos brevemente como se dá esse caminho.

Conforme as indicações da meditação shamatha e vipassana, para se usufruir alegria e alcançar felicidade no cotidiano, o primeiro passo é desenvolver foco, treino na atenção e presença cotidiana do corpo/mente no agora — sempre possível de ser renovado. O meditador passa a ter uma percepção clara e panorâmica de si mesmo e do entorno.

Além disso, a compreensão de pertencer ao todo diminui a autorreferência ou egoísmo e desenvolve qualidades positivas, como o altruísmo e a compaixão, por exemplo. São caminhos para a atualização de princípios éticos e morais, isentos de ingenuidade, sentimentalismo ou soberba.

A meditação com vistas à malha interligada e sempre em fluxo na natureza da existência, acompanhada do processo de autotransformação, será benéfica ao longo da jornada individual. Embora seja vivenciada na introspecção, em uma solitude do ser, não resulta em afastamento de si e dos outros.

Prosseguindo com as práticas meditativas e cultivando no dia a dia a conduta saudável física e mental, trilha-se em direção ao segundo estado ou dimensão interior, chamado de consciência contemplativa ou consciência substrato, conceitos apresentados no capítulo 10, "Aprofundando shamatha", com o subtítulo de Perspectiva budista.

Ao atingir essa dimensão da mente, em estado elevado de atenção, você se encontra quase livre da interferência de preconceitos e pensamentos nocivos durante a meditação e no cotidiano. Percebe a transformação mental e o significado ou propósito ulterior da prática: a vivência da espiritualidade — religiosa ou não — como qualidade sensível e natural do ser humano.

Em seguida, poderá ter conhecimento da terceira dimensão, a transcendente, pura e inefável, livre de conceitos, de preconceitos e de padrões mentais; é denominada consciência primordial ou importante e básica. Embora presente em todos os seres de forma oculta, essa consciência luminosa irá se revelar após constante e cuidadoso treinamento meditativo.

Tipos de práticas meditativas

A utilização das práticas meditativas shamatha e vipassana leva à expansão da mente e à sua transformação para melhor. A atenção plena e a visão ampla conduzem o meditador a um estado de ser e estar na vida com qualidade positiva e criativa.

De forma abrangente, é possível classificar o exercício dessas práticas meditativas em seis tipos: focada, analítica, reflexiva, devocional, de excelência e, ainda, transcendente ou oceânica, conforme apresentadas ao longo dos capítulos anteriores. As práticas podem ser utilizadas por 20 minutos, 10 minutos, ou mesmo alguns segundos, conforme o caso, após a estabilização da mente/corpo.

Focada ou atencional
Prática fundamental, sendo apropriada para iniciantes, mas também para meditadores experientes; são pré-requisitos para avançar às práticas superiores. Escolhe-se um tema para desenvolver a atenção plena e a concentração, como: o foco na própria respiração; no corpo alinhado e sem tensão; no escaneamento total do corpo; na visualização de um símbolo, de uma imagem, de um objeto ou de algum aspecto da natureza.

Analítica
O meditador rememora de forma pontual algum evento desagradável do qual participou e verifica as emoções decorrentes do evento somente constatando-as, sem se deter a uma análise psicológica. A técnica possibilita observar suas ações com objetividade e desenvolver avaliações corretas quando transposta para o cotidiano. Após dois ou três exercícios diferentes e espaçados, é possível identificar quais são os seus padrões mentais recorrentes. Aos poucos, consegue-se despoluir a mente congestionada.

Reflexiva
O meditador escolhe um tema, uma oração ou um texto relevante para si. Neste livro, o assunto fundamental apresentado na meditação vipassana é a interdependência e a impermanência que acontece na natureza da existência, sempre em fluxo. O meditador percebe a unidade e a conexão condicionada de tudo e de todos. Constata que somos parte de uma rede entrelaçada em eterna transformação. Tal reflexão amplia sua maneira de ver e sentir o mundo e desenvolve o sentimento de solidariedade, por exemplo.

Devocional ou visualização

A prática devocional oferece muito sentido e alento no contexto da religiosidade. A atenção é consagrada a um ser escolhido, como uma divindade ou uma pessoa ilibada, já falecida, por meio da visualização de sua imagem. É uma prática contemplativa com veneração ou preces de vertentes variadas, em que serão utilizadas a petição ou a súplica, a expiação, a purificação, a exaltação ou a glorificação das qualidades do ser espiritual. Além disso, poderá ser um agradecimento à sua intervenção ou a internalização de suas qualidades positivas.

Excelência

Na prática meditativa de excelência, constam sentimentos elevados e desprendidos. A consciência se expande e abre espaço para que a mente ou consciência principal, básica e ao mesmo tempo superior, se revele. Cria um estado mental propício à luminosidade interior e à espiritualidade inerente ao ser humano. Essa qualidade confirma transformações positivas emocionais e mentais. Experimenta sentimentos acima e além da materialidade, sem se desligar do cotidiano; a ansiedade e o egoísmo encontram-se muito reduzidos. Com facilidade, o meditador direciona seu modo de ser para os relacionamentos e trabalhos do dia a dia, livre de soberba ou arrogância. Vivenciar esse estado durante a meditação restaura o equilíbrio das próprias energias e propicia um patamar elevado de ser e estar na vida.

Transcendente ou oceânica
Semelhante ao que ocorre na excelência, na prática transcendente ou oceânica o meditador se encontra liberto de qualquer pensamento discursivo. Sem esforço, a mente apresenta ausência de pensamentos por alguns segundos ou por um tempo mais extenso sem qualquer prejuízo mental. Não se trata de ignorar o mundo material para se isolar em uma espiritualidade idílica e etérea. O meditador alcança um estado contemplativo alheio ao torpor ou ao transe. Encontra-se em consonância com a natureza una e impermanente da existência. Despojado da quase totalidade dos padrões mentais, o meditador tem acesso à percepção e vivência dos conceitos vazio/vacuidade/não-eu, associados à natureza da existência. O alcance transcendente refere-se, por fim, a uma área ou espaço puro, amplo e disponível da mente; há só o vazio infinito que predispõe a mente do meditador à saudável transformação interior.

Além da realidade sensível
Com a mente tranquila e a visão do mundo interior e exterior ampliada, o meditador percebe a unidade existente na natureza, em que ele próprio, o local, as pessoas, o ar, os sons e até a almofada em que se encontra compõem a rede interativa. Nesse estado, ele alcança a lúcida vivência unitiva de que não há divisão entre sujeito e objeto, matéria e imaterialidade, pois tudo está em conexão e interação. Sereno e elevado, vivencia um estado silencioso e tranquilo de equilíbrio interno, acompanhado do senso de totalidade.

Com persistência e assiduidade na meditação, pode-se atingir a qualidade meditativa designada por vários nomes: estado transcendente, transcendência, estado substrato, consciência substrato ou contemplativa, consciência pura primordial, consciência plena, consciência universal, e, ainda, estado vazio, espaço vazio e nirvana.

O meditador percebe que espaço vazio e nirvana não são locais, mas um estado de ser e estar na vida. Vivencia o estado superior da consciência como totalidade e como infinito. A meditação budista traduz essa consciência como *Mente*, em que tudo e todos, na sua continuidade, totalidade e união, fazem parte do *eterno vir-a-ser impermanente,* sem começo ou fim.

> **CONCEITO**
>
> O conceito de continuidade no eterno vir-a-ser é alheio à fé em um Deus ou divindade e não diz respeito à alma individual, diferenciando-se dos princípios doutrinais das três maiores religiões — judaísmo, cristianismo e islamismo — e das religiões hindus, por exemplo. Mas vale notar que tal proposição não pretende negar e tampouco confirmar as crenças religiosas, pois trata-se de *outra seara* do pensamento.

Estado transcendente

O estado transcendente se revela quando o meditador se encontra interiormente centrado; é um evento espontâneo e natural, sendo alheio à sua vontade. Revela-se por meio da tranquilidade mental com presença atenta ao momento agora, sem a interferência do passado a tolher e mascarar a singularidade do tempo presente e sem temor do futuro a impedir a autorrealização material e espiritual do praticante.

Lembramos que essa realização material não se refere à compulsão por adquirir e possuir objetos, mas sugere o mínimo necessário a uma vida digna. Por sua vez, a realização espiritual, objetivo contínuo da meditação, supõe a vivência da natural e elevada condição humana, sem necessariamente estar ligada à religiosidade.

Vivenciar a qualidade interior requer alguns meses de prática meditativa. Muitas vezes, por traços de arrogância ou anseio juvenil, poderá haver atraso ou mesmo impedimento do alcance desse estado. Porém, o encontro será facilitado se o praticante adotar as atitudes fundamentais da meditação: persistência na prática, atenção e presença corpo/mente, centralização interna, compreensão e aplicação dos ensinamentos, humildade, leveza em conduzir as situações, e percepção empática do outro e das circunstâncias.

O grande benefício do estado transcendente é que você incorpora a atitude enlevada e espiritual em suas ações e pensamentos cotidianos e vive, respira e age em consonância com a realidade terrena e com seu entorno. Ressaltamos que a transcendência nada tem a ver com escapismo e fuga emocional durante a prática meditativa, tampouco se refere a transe ou torpor.

Momento espiritual e sagrado, o estado transcendente, ao se transformar de potência em ato, também é denominado realização atualizada. Superior às formas materiais e às contingências da vida humana, ele garante a transformação interior harmônica e a simplicidade do despertar iluminado — a ser vivenciado aqui, nesta mesma vida.

25. CONTINUANDO

Alegria e felicidade

À pergunta "O que você mais deseja para seus entes queridos?", você provavelmente responderia: "Que sejam felizes". E o que significa ser feliz? Para responder a essa questão, devemos antes distinguir alegria de felicidade.

As alegrias e os prazeres pertencem a um espectro amplo. Começam na possibilidade de se ter o mínimo necessário, como alimentação, saúde, abrigo, afeto, escolaridade e segurança, seguindo até a outra extremidade, na satisfação inesgotável de ver os desejos constantemente atendidos e realizados.

Pode-se dizer que as alegrias são úteis e grandes facilitadoras circunstanciais da vida, mas, ao mesmo tempo, são relativas, porque sua vivência varia de pessoa para pessoa e os anseios dependem do contexto social, do local e da época em que se vive. Sem dúvida, as alegrias oferecem um valioso benefício temporário. Porém, é senso comum que os mesmos bens que favorecem a alegria e os prazeres não garantem a felicidade. A felicidade é um estado de graça e paz incondicional e sem limites, ocasional ou permanente, na materialidade cotidiana.

Felicidade é a fruição da vida sem contrapor-se a ela, ou seja, aproveitá-la reconhecendo sua realidade e sem submetê-la a uma condição e circunstância — atitude bastante difícil. Significa viver o agora de maneira completa e estar presente em cada instante da atividade empreendida.

Desfrutar a passagem do tempo e perceber o momento sem ansiedade; aceitar com lucidez as ocorrências do acaso, tanto boas quanto ruins; ter gratidão por benesses recebidas e atualizá-las na consciência cotidiana; encontrar forças para acolher as eventualidades nocivas; incrementar a solicitude para com os outros seres humanos, distante de sentimentalismo.

Outro item relevante para se ter felicidade está na determinação em identificar e ceifar as sementes internas de inquietação e ansiedade que surgem constantemente em qualquer pessoa. Para isso, é necessário tratar a própria violência e negatividade mental pelos canais da meditação e da psicologia. Assim, haverá a possibilidade de desenvolver otimismo e confiança, mesmo na fragmentação emocional advinda de tragédias, ou de grandes perdas materiais ocorridas por catástrofe ambiental, por revezes comerciais e gerenciais, ou ainda pelas múltiplas demandas do cotidiano.

A simplicidade voluntária é outra atitude que propicia a construção da felicidade, oferecendo a liberdade responsável de não corroer ainda mais o mundo no qual nos encontramos. Podemos recusar a continuação da mentalidade consumista e repleta de valores materialistas. O comportamento de renúncia ao supérfluo e de não desejar ou adquirir o excesso certamente trará mais paz e serenidade ao ambiente e à Terra — esse espaço maior, sobrecarregado com produtos desnecessários e com a decorrente produção descomunal de lixo.

Propósitos e significados

É reconhecido que a geração de alegrias e a elaboração da felicidade são influenciadas por fatores genéticos, circunstanciais, familiares, sociais e ambientais. No entanto, a integração interior e o autoconhecimento são acréscimos importantes, pois oferecem a superação das dificuldades negativas e confirmam as vivências positivas. Além disso, possibilitam a criação de um projeto de vida ou propósito, o qual dá significado ao cotidiano de qualquer pessoa, independentemente da idade em que se encontra.

Nota-se, porém, que alguns jovens desistem de sonhar e de querer quando o medo de viver se manifesta ou quando protelam a análise psicológica de algum problema maior; então se instala a desesperança. Com a autoestima pulverizada, o desânimo toma posse. O mesmo pode acontecer com pessoas em idade avançada, em que o vigor diminui, as opções se apresentam limitadas e a finitude passa a ser uma ameaça.

Tratar esses problemas por meio médico e psicológico pode amenizar ou resolver as dificuldades, incentivando a pessoa a traçar um plano, de curto ou longo prazo, que ofereça perspectiva e levando-a a encontrar um senso de identidade e mesmo de alegria e felicidade. Será por meio do conhecimento de si mesmo, da autoaceitação e do trabalho de transformação interior, oferecidos pela meditação, que o ser humano terá sinais consistentes de felicidade. E isso depende unicamente do esforço pessoal em atualizar suas potencialidades positivas; é só começar a se descobrir e a se cultivar.

Tal esforço pessoal nem sempre é simples, e algumas pessoas precisam de ajuda médica para realizá-lo. Naturalmente, a indicação de remédios e sua dosagem deverão ter sempre acompanhamento profissional.

Nesse cenário, a meditação será utilizada como suporte e manutenção do equilíbrio físico/mental e entra como complemento altamente positivo. Ela trará ao praticante atenção focada e será um reforço constante para que ele realize um trabalho, um estudo ou outro empreendimento de forma mais satisfatória, eliminando de seus projetos os possíveis adereços e fantasias inúteis. Aos poucos, a meditação contribuirá para tornar o praticante mais objetivo e centrado, com apurada atenção às circunstâncias.

Ação positiva

A ação positiva e otimista sempre será relevante, em qualquer época da vida, desde as atitudes simples até as de vital importância na escala de valor das sociedades. Uma atividade poderá ser válida e produtiva mesmo que o projeto eleito se limite a encontrar os amigos regularmente, ou a acompanhar familiares, a executar exercícios físicos, ou mesmo a trabalhar com afinco, estudar e se aperfeiçoar, exercer ações comunitárias, colocar-se a serviço de algo ou alguém de forma desinteressada.

Todo propósito ou projeto é válido se estiver associado ao equilíbrio interior, acompanhado de valores éticos e dignidade moral. Por outro lado, e inversamente, é necessário reconhecer que se dedicar a algo pode não traduzir e indicar um bom propósito. A guerra, o roubo, a ambição desmedida, o sadismo e a injustiça também oferecem projeto e dão sentido às ações desvirtuadas de alguns, promovendo significado às suas vidas.

Além das considerações sobre propósito e significado, há pensadores que defendem a pouca importância de se preocupar com a questão do sentido e valor da vida; alegam que o significado e sua valoração já se encontram no viver. Isso pode ser verdadeiro, se o pensamento e a atitude não estiverem impregnados de um insidioso desprezo pelos outros seres nem forem movidos por cinismo e desesperança.

Ter satisfação no que se faz e saborear de forma altruísta a alegria do outro, sem inveja ou competição conflituosa, é uma das condições mais difíceis de alcançar, mas pode ser a grande chave para o próprio estado de felicidade, oferecendo coerência, qualidade e significado à vida.

> **CONCEITO | FELICIDADE**
>
> Felicidade é aceitar que o passado só apresenta retorno pela memória.
>
> O amanhã não é esperado como promessa, mas como possibilidade.
>
> É no agora de presença total que se percorre o caminho da transformação.

APÊNDICES

APÊNDICE 1. QUEM PODE E DEVE MEDITAR

A meditação é indicada para todos?

Não convém iniciar o estudo da prática da meditação durante um período de grande estresse, como a morte recente e inesperada de uma pessoa querida. Também não se recomenda dar início ao aprendizado quando em surto psicótico ou dependência acentuada de drogas ou álcool.

Questões graves como essas devem antes receber acompanhamento médico e psiquiátrico; somente a partir daí a iniciação à prática meditativa será uma grande aliada e coadjuvante no alcance da estabilidade corpo/mente e ainda na prevenção à recaída do adicto de drogas ou álcool.

Outros grandes fatores de desequilíbrio tanto emocional quanto monetário são a perda de emprego, a falência comercial e a insolvência econômica. Nesse caso, a meditação é altamente indicada na fase de estresse e será um facilitador para que a pessoa se sinta capaz, plena, e ainda recupere sua autoestima.

Para os que já praticam meditação, continuá-la durante um período conturbado e difícil dependerá de seu oportuno interesse e do bom senso.

Crianças e adolescentes

Abaixo dos 21 anos, o ideal é a prática regular de relaxamento com posição corporal livre, acompanhada ou não de música suave. A experiência comprova que até essa idade há muita impulsividade e impaciência, o que torna a meditação formal apresentada neste livro menos atraente às crianças e adolescentes.

Ainda que abaixo dos 21 anos seja pouco produtivo ater-se aos requisitos sistemáticos de concentração, a prática meditativa pode se iniciar na infância e na puberdade, desde que por um tempo menor do que o indicado aos adultos. Nesse caso, ela é melhor denominada como *centralização e foco* do que nomeá-la meditação.

Porém, algumas escolas obtêm excelentes resultados na capacidade de atenção continuada de crianças a partir dos seis anos. O treino em postura sentada pode se limitar a algum exercício de relaxamento ou alongamento, à atenção plena à respiração natural e à coluna alinhada. Deve ser suave, não obrigatório e sem horários rígidos a cumprir, seguindo a circunstância conveniente do momento.

As escolas geralmente realizam o treino de atenção no início dos trabalhos, logo após o recreio ou, ainda, minutos antes do final do período escolar. O cuidado com a respiração consciente, profunda e prolongada, repetida três vezes inicialmente e seguida pela concentração à respiração natural por cerca de cinco a dez minutos será muito salutar. Irá auxiliar a criança, o adolescente e o jovem na centralização interior e no possível equilíbrio das emoções.

O benefício de dar atenção à respiração pode introduzi-los à atitude de focar em um determinado tema sem a intromissão de distrações maiores. Também pode ser aplicada a prática do relaxamento, com a expulsão abrupta e ocasional do ar acompanhada pela vocalização "haaa". Servirá como equalizador do corpo/mente. Todas as indicações acima podem ser aplicadas no ambiente familiar, sendo orientadas por alguém que já pratique a meditação.

A partir dos 21 anos, ciclo inicial do jovem adulto, a meditação chamada formal ou tradicional é bastante eficaz. Dessa idade em diante a ação do sistema límbico cerebral, que predominou desde a infância no contentamento imediato e na exigência de pressa e agitação, é amenizado. Assim, o meditador poderá atingir altos níveis de satisfação com a prática meditativa, pois o córtex pré-frontal de seu cérebro, já desenvolvido, incita ao planejamento, à determinação e à paciência. Desse período em diante, há mais persistência nas ações, constância no procedimento e noção de futuro.

Pessoas com distúrbios cognitivos
Pessoas diagnosticadas com Transtorno de Déficit de Atenção com ou sem hiperatividade (TDA e TDAH) obtêm benefícios reduzidos com a meditação formal. Nos dois casos há ausência de atenção continuada, e, em geral não se indica a meditação demorada voltada para a imobilidade, postura correta e atenção constante à respiração, conforme sugere a meditação tradicional.

Mas há exceções e cada caso é um caso: com indicação médica e acompanhamento de um orientador capacitado em técnica meditativa, pessoas com TDA e TDAH poderão usufruir de grandes benefícios com a prática regular da meditação.

Já as atividades de relaxamento e centralização, com atenção em um foco por um tempo sustentável, são altamente benéficas a todos os interessados.

Pessoas sob cuidados psicológicos
Sentimentos, emoções e pensamentos afloram durante a prática meditativa. Os meditadores experientes nas técnicas apre-

sentadas neste livro conseguem manter sua atenção ao foco eleito e seguem a recomendação de não incentivar e dar continuidade a lembranças ou associações. Apenas constatam-nas e dedicam sua atenção plena à respiração, por exemplo, ou a alguma outra prática meditativa já proposta.

Dentre esses meditadores experientes, os que estão sob cuidados psicológicos ou psiquiátricos eventualmente levam o material que surgiu durante a meditação para examinar com seu profissional, caso sintam necessidade. Os que não têm suporte psicológico ou acompanhamento similar podem fazer uma autoanálise do material revelado, caso se interessem.

A recomendação, como sempre, é que a análise seja feita após a meditação ou em outro horário conveniente, de modo que o tempo de treino meditativo fique dedicado somente ao foco de atenção escolhido, sem as considerações e diálogos mentais ou exames emocionais do material que surgir.

Voltamos a lembrar que as técnicas meditativas shamatha e vipassana apresentadas neste livro não substituem a terapia profunda. Há, porém, outros sistemas ou linhas de meditação que se enriquecem com base na psicologia. Neles, os momentos de tranquilidade e introspecção são utilizados para rever e direcionar os pensamentos e ações dos praticantes. Não é nossa linha mestra, a não ser em uma ou outra abordagem, como a que trata do mantra pessoal.

Aos iniciantes interessados na autoanálise durante a meditação, caberá decidir qual direção tomar. Poderá vincular-se à técnica aqui apresentada ou seguir outros procedimentos, sendo a maioria deles mencionados no apêndice 7, "Outras formas de meditação".

APÊNDICE 2. BENEFÍCIOS DA MEDITAÇÃO

Vida com qualidade

A meditação não é remédio para tudo, mas certamente ajuda a encontrar disposição para viver. O treino meditativo dá início a um círculo virtuoso que se opera no praticante e se expande de modo crescente em seu entorno. Os benefícios gerados pela meditação se traduzem em última análise numa vida com mais qualidade.

Uma das primeiras transformações positivas é a capacidade de estar por inteiro nas situações. A pessoa passa a viver no momento presente, seja qual for. Conversa atentamente com alguém, aguça os sentidos durante as refeições, lava a louça com cuidado e enfrenta os problemas de modo eficiente. Aproveita o trabalho, a família, as amizades, a tarefa diária e a diversão de forma mais prazerosa e completa.

Tudo isso é decorrência direta do treino de atenção em um foco durante a prática meditativa que, por sua vez, desenvolve a atitude de presença corpo/mente no momento agora. O foco fornece uma baliza ou linha que circunscreve limites para os pensamentos e emoções quando conveniente. Estar focado diminui a ansiedade, o devaneio e a dispersão mental.

O meditador torna-se presente e adquire percepção das circunstâncias. Consegue ter uma visão maior, sem colocar o ego como o centro de tudo; deixa de ser autorreferente em excesso. Seus pensamentos ficam seletivos e convenientes, e os padrões mentais deletérios são identificados e possivelmente reduzidos ou mesmo extirpados.

Afastar a autorreferência e se desidentificar com as situações vivenciadas dá lugar à serenidade mental, à lucidez e à objetividade no cotidiano. Não se trata de indiferença para com o outro ou bloqueio das próprias emoções. A pessoa abre mão das querelas prejudiciais a si e ao próximo, e suas ações deixam de ser apenas reativas para serem apropriadas e proativas. Ela passa a ser mais imparcial, ou seja, equânime.

Durante a prática, a pessoa relaxa e restaura as energias. Respira, se aquieta e repousa. Esse processo físico e mental propicia a liberação natural de substâncias químicas internas e mantém corpo/mente em equilíbrio saudável. A partir desse novo patamar, o meditador passa a se defrontar de maneira positiva com os altos e baixos naturais da vida.

Outro resultado do relaxamento e calma advindos da meditação é o aumento potencial da criatividade. Sem a avalanche de pensamentos aflitivos e dispersivos, a consciência cotidiana ou mente conceitual passa a ser um solo propício para receber do inconsciente diferentes ideias e imagens ou para fazer associações inovadoras e originais. Também a intuição encontra livre trânsito para se manifestar e ser percebida.

Meditar reduz o estresse crônico das pressões emocionais que a vida ou a própria mente apresentam, como a preocupação com familiares, a competição entre pares ou a exigência de perfeição em qualquer desempenho.

> CONCEITO | **ESTRESSE "BOM"**
>
> A palavra *estresse* costuma estar associada a algo contínuo e opressivo. O estresse continuado deve ser identificado e mini-

> mizado dentro do possível, com a mudança das circunstâncias e o eventual acompanhamento médico. Porém, o estado de estresse leve, denominado estresse bom, que apresenta a secreção adequada do hormônio adrenalina — desde que a pressão sanguínea esteja normal —, é salutar e necessário à vida cotidiana. Atuante pela atenção saudável às circunstâncias, aos outros e a si mesmo, ele mantém a pessoa alerta e ativa, facilita as conexões dos neurônios e potencializa a memória.

Há algumas décadas se pesquisa e quantifica os ganhos específicos do ato de meditar. A partir dos anos 1990, a medicina e a neurociência passaram a investigar os benefícios da meditação e a articular sua prática com as disciplinas relacionadas ao cérebro. Desde então, estudos sérios e responsáveis demonstram que a prática meditativa diária, aliada ou não a tratamento médico e psicológico, permite melhorias para além da redução do estresse crônico.

Verificou-se que a meditação continuada diminui a ansiedade e a depressão, a violência e a irritabilidade; regula o sono, reduz o uso do álcool e do fumo; reduz a hipertensão e a dor crônica; controla o colesterol, baixa o metabolismo, fortalece o sistema imunológico e pode reduzir o tempo de internação hospitalar. Se for conveniente acoplar a meditação a tratamento psicológico, a prática pode ainda facilitar, dentro do possível, a saudável reprogramação cerebral.

Estar no mundo
Com o tempo, você percebe-se melhor física, mental e emocionalmente, o que traz o efeito adicional de aprimorar suas

relações interpessoais. Como resultado da harmonia interior, a meditação facilita os relacionamentos e traz o benefício da conciliação com terceiros. As práticas de compaixão e altruísmo apresentadas neste livro aumentam a generosidade, e as de perdão para consigo mesmo e para com o próximo lançam novo olhar de amorosidade.

Meditar oferece valor ao modo de ser e estar no mundo; a transformação acontece para si e para os que o rodeiam. A alegria se instala e o prazer de vivenciar as situações triviais se revela. Fica evidente a consciência das próprias qualidades com suas limitações e o reconhecimento das benesses recebidas. Você poderá colher os benefícios de sua prática na época presente e ainda semear resultados positivos para o futuro, próximo ou remoto. Meditar oferece a experiência da vida espiritual, do sagrado no cotidiano, sem necessariamente estar acoplada a tradições e conceitos religiosos.

Superação de traumas
Outro benefício da meditação é a melhora na superação dos traumas que a vida por vezes apresenta. Nessas circunstâncias, a pessoa deve receber tratamento psicológico ou médico e o suporte de parentes e amigos antes de iniciar o estudo e a prática meditativa. Depois de um atendimento eficiente, poderá contar com a meditação como grande auxiliar na superação dos problemas e na manutenção do equilíbrio emocional.

A meditação é benéfica também em caso de sofrimento moral continuado, como o constrangimento recorrente no ambiente escolar, profissional, social e mesmo familiar. Isso porque ensina a pessoa a se concentrar durante a meditação, no agora, e a permanecer focada na atividade proposta, e não em uma eventual tristeza ou devaneio inoperante. Treina o cérebro e facilita o aproveitamento do instante presente — somente seu — de atenção e relaxamento corpo/mente. Ao se concentrar no objeto escolhido, como a respiração, o praticante pode usufruir o equilíbrio interior durante esses preciosos momentos de tranquilidade.

A mente é resiliente ou elástica (ver capítulo 13, "Mente como foco" — item "Resiliência") e a meditação oferece ferramentas para ultrapassar os traumas. A técnica de focar no instante presente durante a meditação oferece a chave para recuperar o equilíbrio interno. O meditador se abre para cada momento novo e inusitado, sem as lembranças aflitivas e os pensamentos condicionados. Com foco e atenção no agora, encontra objetivos para o dia a dia, possibilidades de transformação emocional/mental e um salutar projeto de vida.

APÊNDICE 3. O QUE SE PASSA ENQUANTO MEDITAMOS

Corpo/mente

Muitos iniciantes e interessados sentem a necessidade de conhecer melhor os processos físicos, mentais e emocionais desencadeados pela meditação. De forma simplificada, tratamos aqui dessa ligação.

A cabeça humana e seu crânio abrigam o cérebro, também denominado encéfalo, onde se encontram os centros nervosos superiores. Os pensamentos, os processos cognitivos e psicológicos são mais notadamente funções do cérebro. Esse sistema, somado à sensibilidade, sensações, memórias, emoções e sentimentos, está entrelaçado com a totalidade do corpo, formando o complexo corpo/mente.

> CONCEITO | **NEURÔNIOS E SINAPSES**
>
> No cérebro há cerca de 86 bilhões a 100 bilhões de neurônios ou células neurais que estabelecem circuitos entre si, formando redes e compondo nosso sistema nervoso. Cada neurônio tem um corpo celular e, no seu prolongamento, as fibras nervosas axônio e dendrito.
>
> A fibra axônio de um neurônio irá se interligar à fibra dendrito de outro neurônio por meio de estímulos mediadores químicos ou impulsos nervosos. Elas estabelecem conexão entre as células neurais para formar novas rotas no cérebro.
>
> Essas conexões, ou *sinapses*, são criadas ao longo da vida e propiciam a reestruturação cerebral, o que pode ocorrer

mesmo com pessoas em idade avançada, se motivadas por novos interesses e conhecimentos. A inovação e a reorganização cerebral serão possíveis; é necessário, no entanto, perceber a plasticidade e a capacidade real de cada cérebro.

As divulgações sensacionalistas fazem crer de forma inverossímil que qualquer transformação mental seja possível em qualquer idade ou situação física. Deve-se distinguir, porém, as promessas superficiais e enganosas sobre o tema das verdadeiras e comprovadas informações fornecidas pela neurociência.

Efeitos do ato de focar

A forma de pensar do ser humano pode ser linear e contínua ou produzir associações que, por vezes, são caóticas e aparentemente desconexas. O pensamento pode ainda se apresentar em configurações imprevisíveis, ao acaso, ou mesmo de modo dispersivo ou desatento.

Essa diversidade natural de cenários fica mais evidente durante a prática meditativa, e daí a importância da atenção a um foco, propósito da prática formal, que parece contrariar a programação cerebral espontânea. Ao focar a atenção na respiração, por exemplo, que é mais lenta do que a agilidade do cérebro, o meditador exercita o difícil trabalho de aquietar o tumulto cerebral e emocional.

Mas o ato de estar focado durante a meditação não propõe a diminuição do trabalho da mente e da atividade cognitiva; favorece, isto sim, a clareza de raciocínio.

Como pensar

Ao utilizar a técnica do foco, você treina a mente a determinar um limite ou colocar balizas aos pensamentos, emoções e sentimentos durante a meditação, conforme a conveniência ou necessidade. Com isso, impede a intromissão de assuntos alheios naquele momento de concentração. Transpondo ao cotidiano essa técnica do foco, você consegue delimitar a área a ser explorada e os assuntos pertinentes a serem considerados.

Com a mente treinada pela meditação, você identifica suas ideias preconcebidas e os condicionamentos nocivos; eles podem atrapalhar sua visão geral e impedir decisões corretas. Você se liberta da interferência dos diálogos internos desnecessários e da compulsão em sempre ter razão.

Sua intuição se torna livre de qualquer cerceamento, além de ter o benefício do conhecimento direto das situações. Você encaminha-se para uma avaliação mais correta das circunstâncias e desenvolve a equanimidade ou imparcialidade no pensar e agir: decide como pensar.

> **NOTA | CONTROLE MENTAL**
>
> No modo como pensamos, como nos comunicamos e como ouvimos, ou não ouvimos o outro, se encontra o entendimento ou a discórdia.

APÊNDICE 4. FATOS E MITOS

A prática meditativa no Ocidente
No Ocidente, a prática da meditação foi mais difundida para o público leigo a partir da década de 1970. Em grande parte, isso ocorreu por influência dos Beatles, que visitaram a Índia em 1968 e tiveram contato com mestres da milenar sabedoria hindu.

A essa altura, já existiam há décadas no Ocidente comunidades monásticas asiáticas, sérias e responsáveis, que transmitiam seus ensinamentos e a prática da meditação a um número limitado de interessados, geralmente descendentes de asiáticos.

A grande disseminação pós-1970 deu margem a algumas interpretações errôneas e superficiais. Desavisados, muitos ocidentais pensavam que meditar era voltar-se para si mesmo, ignorando as pessoas e as circunstâncias do entorno. Houve, igualmente, o equívoco de associar a meditação ao escapismo e à fuga da realidade cotidiana, o que se tornou um dos impedimentos para sua correta compreensão e utilização. Além disso, também era frequente a associação da meditação como restrita a cultos religiosos ou ideológicos, limitando o interesse no assunto.

Outro engano corrente foi o de acreditar que o neófito alcançaria a total e imediata ausência de pensamentos e aflições assim que se prontificasse a fazer dias seguidos ou horas intermináveis de treinamento meditativo. Naturalmente, impossibilitado de atingir o proposto, com dores pelo corpo e desanimado, o aprendiz desistia da tarefa com a mesma intensidade com que a havia iniciado.

A ideia de nirvana como local semelhante ao céu monoteísta foi outro equívoco largamente disseminado. O conceito de nirvana não é um endereço a ser procurado, mas um estado de ser e estar no mundo, de forma responsável e altruísta, salutar e compassiva para consigo mesmo e para com todos os seres; assim, o nirvana é algo a ser vivenciado aqui nesta mesma Terra.

Felizmente, ao longo dos anos seguintes, o Ocidente recebeu mais ensinamentos e informações precisas de concentração, confirmados por praticantes de diferentes linhas: os *swamis* hindus, os místicos sufis, os chassídicos judaicos, os monges japoneses, tibetanos, vietnamitas, chineses, os padres cristãos e, principalmente, instrutores laicos capacitados. Formaram-se, então, novos grupos de interessados na prática da atenção e concentração meditativa.

Hoje, é grande o número de pessoas com acesso a informações confiáveis quanto aos objetivos e benefícios da meditação, de sua técnica inicial e avançada, seja por meio de leituras, seja por cursos em associações, seja por programas na mídia. A prática meditativa já é exercida com regularidade por milhões de interessados ocidentais, sem que a pessoa esteja necessariamente filiada a alguma organização religiosa ou ideológica.

A quase totalidade dos ensinamentos iniciais da prática meditativa é exotérica, ou seja, dirigida a um público leigo. As informações disseminadas em instituições asiáticas ou ocidentais não tratam de algo incomum ou especial, e a maioria dos ensinamentos básicos sobre meditação se caracteriza pela simplicidade. A evolução da prática e o conhecimento de ensinamentos adiantados dependerão do interesse e da capacitação do meditador.

A prática meditativa apresentada neste livro não é cercada de mistério, nem se reporta a algum culto, premonições, crenças ou religiosidade. Também não se liga ao ramo esotérico, ou seja, direcionado a um número restrito de discípulos qualificados, nem se aproxima de movimentos ou escolas que se associem a fenômenos sobrenaturais, como o espiritismo e a mediunidade.

> **CONCEITO | EXOTÉRICO, ESOTÉRICO, ESOTERISMO**
>
> Os ensinamentos destinados ao público geral ou leigo são chamados de *exotéricos*, com *x*, opondo-se ao termo *esotérico*, com *s*, que define ensinamentos destinados apenas aos praticantes avançados de qualquer seita ou religião; a um número restrito de discípulos qualificados.
>
> Já a palavra *esoterismo*, além de se referir aos ensinamentos transmitidos a um grupo de iniciados, pode estar relacionada à crença do sobrenatural e a algo enigmático.

APÊNDICE 5. ORIGENS DA MEDITAÇÃO

Um pouco de história

Todas as culturas apresentam algum tipo de prática contemplativa, mas a Índia legou a maior e a mais antiga documentação escrita sobre a meditação, sua origem e desenvolvimento — daí sua importância no estudo da prática. Outros povos, como ameríndios e africanos, também apresentaram em sua cultura processos de concentração e interiorização, mas sem qualquer documentação sistemática.

Por volta do ano 2000 a.C., a Índia era habitada por um povo pacífico, adiantado em sua organização, agrário e pastoril denominado *drávida*. Esse povo praticava uma forma incipiente de meditação e a utilizava para incrementar a concentração.

Em 1500 a.C., a Índia assimilou o grupo *ária*, originário da região que hoje chamamos de Mongólia, território frio entre a China e a Rússia. Nesse período, os árias percorreram grandes distâncias a cavalo, avançando cada vez mais para o Oeste e chegando até as Ilhas Britânicas. Eles davam muito valor à palavra falada e consideravam sagrado o som de seus cânticos.

Parte do grupo ária, a denominada corrente *kurga*, voltada para a disciplina e rituais, tomou a direção sul nas montanhas do Himalaia e alcançou a região da Índia. Ao longo dos séculos seguintes, a mescla resultante das culturas drávida (do próprio subcontinente indiano) e kurga (assimilada) foi riquíssima: produziu filosofia variada e profunda, espiritualidade elevada em algumas ramificações religiosas e desenvolveu a meditação yogue avançada.

Acréscimo budista

Em cerca de 600 ou 500 a.C., o indiano Sidarta Gautama, o Buda,[2] utilizou os ensinamentos já existentes do pensamento hindu e da meditação yogue para apresentar novos conceitos, enriquecendo-os com o uso sistemático da prática meditativa.

Sua mensagem era desvinculada de fé religiosa ou crença em divindades. Não contestava ou confirmava a existência do divino, por ser impossível sua negação ou comprovação, delegando ao foro íntimo a decisão de se ter crença e fé em alguma religião, ideia ou conceito. Ele dava importância à dedução e incitava as pessoas a terem uma visão crítica na avaliação dos preceitos por ele transmitidos. Entre as ideias apresentadas, estão a busca da sabedoria, a verificação da natureza da existência e o estímulo à atitude equânime, ou seja, a imparcialidade nos pensamentos e ações.

Buda priorizava a meditação como ferramenta para alcançar níveis elevados de consciência e dissolver o apego autorreferente. Destacava, ainda, a importância do momento presente, do agora. Desenvolveu em seus ensinamentos o que hoje na psicologia é denominado *autoconhecimento*.

O budismo continuou a se disseminar após o falecimento de Gautama, em cerca de 500 a.C. Suas antigas e variadas ramificações, acompanhadas de instruções sobre meditação, estenderam-se da Índia para a Coreia, China, Japão e também Sudeste Asiático. Nos séculos XIX e XX, partiram do mundo asiático para algumas regiões da Europa e para as Américas do Norte e do Sul.

---

2. Buda é uma palavra genérica hinduísta, do páli e do sânscrito, que significa o iluminado ou desperto, não se referindo somente a Gautama. Note-se que as datas são incertas.

Entre as mensagens básicas, o budismo conserva os conceitos de *interdependência* e *impermanência*, além de *impessoalidade* como imagem do fluxo existente: tudo e todos fazem parte da rede interligada e impermanente, no movimento ou fluxo contínuo que acontece na natureza da existência.

Após o budismo inicial, austero e sintético, denominado *theravada* (posteriormente *hinayana*), foi desenvolvido o budismo *mahayana*, que expôs mais conceitos sobre a consciência, e voltando-se para o compromisso social com o semelhante. Seguiu-se o budismo *tantrayana*, que no Tibete recebeu o nome de *vajrayana*, tântrico e esotérico. Algumas escolas budistas deram ênfase ao rito cerimonial e à introjeção de qualidades divinas, sempre se valendo da meditação como forma de interiorização.

- Renascimento e reencarnação
Ramos do budismo creem no possível renascimento de alguns aspectos meritórios e pessoais encontrados em uma única pessoa. Esse retorno parcial pode ser recebido em diferentes pessoas ou mesmo em animais. O conceito de renascimento de aspectos não é visto como punição cármica de atos demeritórios anteriores, mas como nova possibilidade de ações positivas que se acumularão nos sucessivos renascimentos. Quando o estado iluminado não for alcançado nesta mesma vida, haverá o retorno à Terra, à roda de renascimentos, ou seja, às repetidas existências (*samsara*).

Diferente da crença budista, a doutrina hindu de reencarnação acredita que a alma individual, logo após a morte, desloca-se integralmente para outra pessoa. No hinduísmo, enquanto não houver a libertação (*moksha*) de todas as correias terrenas, acontecerá a constante e integral reencarnação ou o indesejável regresso à Terra.

As duas crenças, de renascimento e de reencarnação, apontam o retorno como abertura para novos acontecimentos e experiências, possivelmente para melhor e mais produtivo, de evolução interior e espiritual.

Compêndio yoga
Em cerca de 200 a.C. (ou mesmo 200 d.C., conforme alguns autores), o mestre yogue Patânjali realizou um compêndio magistral. Nele, compilou a sabedoria yogue e milenar teísta já existente, em 196 sentenças interligadas e sem interrupção de conteúdo, denominadas *sutras*. Sua obra tratou dos fundamentos do yoga, dos exercícios e práticas espirituais e da meditação em menor número, mas nem por isso com menos importância dedicada à atenção absoluta.

O compêndio de Patânjali encaminha o praticante à concentração e à experiência espiritual em patamares superiores de consciência por meio de três princípios: a postura, ou *asana*; a respiração controlada, ou *pranayama*; e o ajuste de corpo/mente/espírito em uníssono, denominado no yoga de *contemplação*, ou *samâdhi*.

Assim como no yoga superior, as meditações avançadas shamatha e vipassana, apresentadas neste livro, dão relevância à superação da autorreferência, à expansão da espiritualidade e à transcendência dos limites racionais, sem, no entanto, sugerir transe. Do mesmo modo, o relevo dado à disciplina e à ética delimita as ações negativas para consigo mesmo, para com terceiros e para com a natureza (ver apêndice 7, "Outras formas de meditação").

APÊNDICE 6. MEDITAÇÃO E RELIGIÃO

Mente concentrada

Os praticantes de meditação, seja qual for a linha seguida, levantam inúmeras questões relativas à atenção e concentração mental nas diferentes abordagens meditativas religiosas e laicas. Esperam obter informações sobre meditação devocional, espiritualidade, contemplação, estados de transe e transcendência na meditação. Apresentamos a seguir, de forma sucinta, pinceladas desses conhecimentos como contribuição para estudos posteriores.

Todas as religiões incentivam a prática da oração de forma concentrada. Tanto o crente leigo quanto o monástico alcançam seu objetivo quando a oração e a meditação conduzem o pensamento central, o foco, para a devoção e para a união à divindade ou ao símbolo do poder divino.

Para a meditação devocional, pode-se utilizar uma oração silenciosa, uma frase ou palavra repetida inúmeras vezes e de forma cadenciada ou a leitura de um trecho religioso e inspirador. É possível acrescentar ainda a contemplação de uma imagem ou objeto simbólico referente, ou mesmo a veneração a uma pessoa ilibada já falecida. Trata-se de um momento de reverência e gratidão pelas benesses recebidas ou de petição à divindade por saúde, paz, prosperidade, proteção física e mental.

Nos períodos de dificuldade extrema, constata-se que a oração piedosa ou a meditação devocional proporciona grande alívio e suporte emocional para aqueles que professam uma religião ou crença. Além disso, como na prática laica, a meditação religiosa muitas vezes incorpora sentimentos de bondade e solidariedade aos outros seres humanos, contribuindo para a paz interior e do ambiente.

No universo religioso de qualquer grupo, a concentração e a atenção plena na oração são muitas vezes acompanhadas do estado elevado de consciência. Conforme os preceitos, o caminho para tal estado se apresenta ao fiel quando ele vivencia as normas de sua religião, de sua comunidade de fé ou tradição; quando acompanha com atenção o ritual, o culto, as orações, palavras e ações; e quando mantém o foco prolongado e devotado à divindade. Tais atitudes são pontes para o estado transcendente, além do ego.

Espiritualidade inicial
O animismo foi a primeira manifestação humana de espiritualidade. A palavra pode significar *alma na natureza*. Crença encontrada em *tribos ancestrais* de diversas regiões da Terra, o animismo acreditava em forças ou potestades que animam a natureza e os seres. Essas energias eram convocadas para proteção, vingança ou orientação. Envolvia, no início dos tempos, o temor ao trovão, às intempéries e às sombras.

Em continuidade, o pensamento animista atribui aos seres humanos a existência de uma alma pessoal e entende que toda a natureza ou qualquer objeto, como a pedra, ou uma almofada, também possui espírito ou alma, mesmo que não apresente sensibilidade. Possivelmente está associado ao antigo xamanismo dos povos siberianos, à religião *bön* dos planaltos da Ásia e à mediunidade.

Hoje, o animismo faz parte de algumas linhas religiosas e devocionais, como o espiritismo que apresenta caráter filosófico-religioso. Os seguidores do espiritismo comunicam-se com os espíritos por meio do *médium*. Ver neste apêndice: Mediunidade.

A contemplação nas religiões monoteístas
As três principais religiões de fé em um único Deus — judaísmo, cristianismo e islamismo — sempre enalteceram o valor e o benefício da introspecção e da contemplação devocional. Para a crença monoteísta, o recolhimento interior focado na divindade ou no símbolo religioso é um modo de apaziguar e ordenar os pensamentos, de seguir os preceitos morais e, ainda, de pedir clemência ou proteção.

Ao contrário do que muitos pensam, é possível manter sua crença religiosa mesmo com os grandes avanços da física, da matemática e da química. As questões de fé tratam de emoções e experiências individuais.

A fé transita vias cognitivas e emocionais sem exigir esclarecimentos e explicações. A confiança na crença religiosa não supõe respostas definitivas sobre a existência de Deus e de sua eventual interferência. O mistério permanece e a fé depende da vivência pessoal e da influência do ambiente em que se vive. São abordagens e pensamentos diferentes das questões racionais, requeridas pelas ciências; estas têm por objeto a justificativa e a lógica do que é verdadeiro ou não.

A seguir, citamos alguns exemplos de devoção nas religiões monoteístas em que a atenção plena e a concentração físico/mental são similares à do estado meditativo superior das práticas shamatha e vipassana.

Judaísmo

Entre os ramos devocionais do judaísmo, está a cabala, que teria se iniciado há cerca de 5700 anos ou, segundo alguns estudiosos, por volta do ano 1200 de nossa era, com data mais próxima à atualidade.

Uma de suas práticas é a reverência e concentração do pensamento em determinadas letras do alfabeto hebraico consideradas místicas. De acordo com os cabalistas, ao serem contempladas com concentração, as letras confirmam a emanação de seu poder e induzem os devotos ao enlevo e ao arrebatamento.

Padres do Deserto

Outra forma de concentração meditativa com base na fé mística foi desenvolvida a partir de 300 d.C. no Egito e na Capadócia (atual Turquia) pelos cristãos orientais denominados Padres do Deserto. Praticavam o silêncio ou a ascese interior, o *hesicasmo*, que em grego significa quietude, tranquilidade. Os ascetas se entregavam à contemplação do divino Jesus em comunidades afastadas dos centros urbanos. Almejavam a comunhão com a luz do ser superior e dirigiam constantemente o foco da atenção à mente e ao coração, um somado ao outro. A Igreja Ortodoxa Grega assimilou o hesicasmo em cerca de 1350.

Jesuítas

Os cristãos, em especial os jesuítas, muitas vezes fixam sua atenção meditativa no símbolo do amor desprendido e dedicado, como o sagrado coração de Jesus, e elegem como meditação uma oração piedosa a ser proferida em atitude concentrada. A ordem jesuíta utiliza-se dos exercícios espirituais propostos por Santo Inácio de Loyola (Espanha, 1491 — Itália, 1556) como tema central de suas práticas silenciosas.

Maranatha

No século XX de nossa era, o monge beneditino John Main (1926-1982) redescobriu e pôs em prática a antiga tradição cristã de meditação e fundou a Comunidade Mundial de Meditação Cristã. Introduziu a antiga palavra aramaica *maranatha*, que significa "Venha, Senhor". O aramaico era a língua semítica falada na antiga Síria e Mesopotâmia (atual Iraque). Durante a prática meditativa, a palavra maranatha é repetida inúmeras vezes de forma concentrada, cadenciada e devocional. Pode-se vocalizar cada sílaba em separado, ma-ra-na-tha, inspirando na primeira e na terceira sílaba e expirando na segunda e na quarta sílaba.

Islamismo

A palavra *islã* significa "rendição", como entrega incondicional de corpo, pensamento e alma a Alá ou al-Llah (Deus). Iniciada pelo profeta Muhammad (Maomé) em cerca de 600 d.C., contém revelações do arcanjo Gabriel. Os ensinamentos foram organizados no *Qur'an* (Alcorão ou Corão), com exortações e leis morais, religiosas e sociais.

Das formas de misticismo e ascetismo islâmico, temos o

estudo das poesias e reflexões do mestre e jurista persa Jalal ad-Din Muhammad Rumi (1207-1273). Em outra vertente mística denominada sufismo ou sufi, a expressão de devoção do praticante dervixe se dá por meio da concentração no rodopio incessante do próprio corpo; a atenção focada transporta-o para um intenso sentimento religioso.

O estado de transe

O estado de transe é um tipo particular de concentração caracterizado pela perda de conhecimento do entorno e, muitas vezes, por autossugestão ou estímulos iniciais do ambiente. Pode ocorrer durante um ritual, manifestando-se no guia de alguma crença ou religião e, eventualmente, em um adepto. O estado de transe é alcançado quando o líder ou o praticante se transporta para fora de si por meio da disposição emocional de êxtase, exaltação ou arrebatamento.

O transe como fenômeno

A seguir, incluímos descrições gerais do transe em algumas de suas versões: no xamanismo, na mediunidade e no faquirismo.

- Xamanismo

Por meio de um ritual mágico-religioso e em estado de transe, o indivíduo intuitivo denominado *xamã* incorpora uma entidade atemporal da comunidade local ou absorve uma divindade associada à natureza. Conforme o legado xamanista originário da Sibéria e da Ásia Central, o xamã assimila algum espírito com a finalidade de exorcizar um mal local ou uma doença, manifestada em uma pessoa, por exemplo.

No Brasil, alguns povos indígenas utilizam plantas medicinais em seu ritual de cura ou magia, denominado *pajelança*. A comunidade participa da cerimônia ritualística, geralmente liderada pelo condutor, o *pajé*, em estado de transe, que invoca ou consulta espíritos com poderes adivinhatórios ou curativos. Certos grupos valem-se de uma mistura de plantas alucinógenas para extrair o líquido denominado *ayahuasca*, ingerido pelos seguidores durante a cerimônia.

- *Mediunidade*

No espiritismo, o médium, quando em transe, configura-se como porta-voz dos espíritos, sem os incorporar. Situa-se como ponte e ligação entre os dois mundos: terreno e espiritual. Durante o ritual coletivo de algumas comunidades, o fenômeno do transe pode se manifestar, num dos participantes como a expressão de algum mal tanto físico quanto mental, absorvido por ele. O seguidor do espiritismo acredita que a condição manifestada será exorcizada, ou seja, expulsa pelo médium, cujo poder foi conferido por alguma entidade sobrenatural.

- *Faquirismo*

O faquir hindu se submete por longos anos a um rígido treinamento de comando interno para abstrair os estímulos externos e desenvolver controle total sobre os cinco sentidos (visão, olfato, audição, paladar e tato) e a consciência. Além disso, empenha-se em reduzir os batimentos cardíacos e aplacar o sistema respiratório. A capacidade de se superar e tornar-se insensível à dor e ao desconforto máximo, principal meta do treinamento físico e emocional do faquir, pode ser classificada como condição de transe.

A transcendência na meditação: 5 enfoques

Com frequência, o estado espiritual de religiosos e crentes é interpretado como idêntico ao estado transcendente da meditação avançada. Ambos se caracterizam por estarem além da consciência da experiência cotidiana e de tudo o que existe. Há, porém, cinco diferentes enfoques meditativos transcendentes:

- Meditador místico

O meditador místico acredita no sobrenatural e no conhecimento revelado por uma divindade. Segue uma doutrina religiosa com devoção e confia na interferência divina sobre seus pensamentos e atos, valendo-se do suporte da religião no cotidiano e nos momentos de sofrimento ou alegria. Crê ir além da materialidade por meio da fé e ressalta o êxtase (o sair de si) como experiência mística na união com o divino durante sua oração ou meditação.

- Meditador religioso

O praticante da meditação tradicional que professa alguma religião ou crença conta muitas vezes com componentes de fé para ascender ao estado espiritual e transcendente durante a meditação. Esse estado ultrapassa a realidade material e vai além da experiência fornecida pelos sentidos e pela consciência individual. Na oração concentrada e na visualização de divindades, o meditador religioso procura proteção, expiação de alguma falta ou erro em suas ações e pensamentos e, por vezes, a identificação e união com o ser superior.

- Meditador ateu
O meditador ateu não crê em divindades e busca a transcendência da materialidade somente com base na razão, sem qualquer caráter espiritual. Tal negação, no entanto, serve-se de uma crença: a descrença na espiritualidade. O ateu geralmente oferece uma opinião ou a convicção sobre a não existência de Deus.

O americano Sam Harris (1967-), escritor, neurocientista e filósofo, questiona sobre as crenças e a fé religiosa. Propõe um olhar crítico sobre "as ideias más" que as religiões poderiam oferecer.

- Meditador espiritualizado
Há praticantes da meditação tradicional que não seguem qualquer religião, mas confiam na existência de algo imaterial ou espiritual, que abrange os seres, a natureza e o universo. Esse praticante alcança níveis superiores ou alterados de consciência sem contar com a crença em entidades divinas e, na maioria das vezes, sem o caráter de transe induzido.

- Meditador agnóstico
Assim como o meditador espiritualizado, o agnóstico não necessita da religiosidade para alcançar a transcendência. Ele se vale de raciocínio lógico, acompanhado ou não do sentimento de espiritualidade. É agnóstico aquele que não contesta a existência de Deus ou de qualquer esfera divina, mas tampouco garante sua presença — por não saber a resposta. O agnóstico se abstém de ter uma opinião sobre esse assunto e entende que a espiritualidade (independente da fé e da crença) pode ser vivenciada por qualquer pessoa; compreende e percebe que essa experiência é individual e intransferível.

APÊNDICE 7. OUTRAS FORMAS DE MEDITAÇÃO

Convergência na diversidade

Há diferentes modalidades de práticas meditativas, e as técnicas shamatha e vipassana abordadas no presente livro são dois exemplos. Apesar de muitas modalidades serem diversas na forma e na origem, a maior parte delas converge para um mesmo ponto: a poderosa ferramenta da *atenção* e do *foco*. Ela diminui a dispersão mental, baliza ou coloca limites aos pensamentos e emoções durante a meditação, mantém o meditador atento à sua própria presença e ao agora, com um mínimo de imposição do ego, ou seja, da autorreferência.

As diversas práticas meditativas supõem introspecção e atenção plena à presença corpo/mente. Assim, a maioria delas costuma recomendar silêncio interior e apresenta um caminho gradual de obstáculos e de superação, com dificuldade crescente. Como qualquer atividade de autossuperação, exige técnica, foco, perseverança e entusiasmo em sua execução.

Como apresentado no apêndice 6, "Meditação e religião", as modalidades meditativas podem ser laicas ou ligadas à religiosidade. Há as que exigem normas rigorosas de procedimento e há as modalidades bastante flexíveis, assemelhando-se a técnicas de relaxamento. Algumas acrescentam conceitos de autoconhecimento em suas instruções e outras recomendam a utilização de sessões paralelas ligadas à psicologia.

Através dos tempos, a meditação inicial praticada pelos yogues recebeu modificações e acréscimos, bem como a meditação budista. Isso não significa o abandono das normas básicas e tradicionais, mas a adequação a diversos anseios e a novas conjunturas. Cabe a cada um escolher a qual tipo de meditação irá se dedicar.

Sem pretender esgotar a lista, descrevemos a seguir algumas práticas meditativas similares à shamatha e à vipassana.

Meditação yogue avançada

A palavra *yoga* significava ajustar, atrelar e jungir corpo, mente e espírito. Posteriormente, esse processo foi entendido como união — o que permanece até hoje.

Com cerca de 3 mil anos, a tradição yogue visa a retração dos sentidos durante a meditação profunda e lúcida e o esvaziamento de qualquer pensamento e conteúdo da mente. O yogue busca a difícil ligação, ajustamento e unidade de corpo/mente/espírito acompanhada de êxtase (*samâdhi*) no absoluto silêncio interno.

Após anos de prática, o yogue alcança, desperto e sem traços de transe, o estado transcendente, além da própria personalidade, da realidade sensível e da materialidade. Para chegar a tal nível ele deve ter extenso conhecimento da filosofia yogue e praticar constantemente; percorre cada um dos estágios com seriedade e abnegação.

Escolas posteriores de yoga

Os antigos ensinamentos do yoga serviram de apoio e modelo a outras escolas criadas e desenvolvidas na própria Índia. Posteriormente, algumas ramificações, acrescidas de técnicas da meditação budista, foram absorvidas pelos países asiáticos e ocidentais.

Há diferentes escolas de yoga, e todas apresentam preceitos elevados e disciplinas éticas acompanhados de meditação. Algumas delas, classificadas tardiamente, são:
* *raja*, ou régio, com a predominância do controle da mente;
* *samnyasa*, ou renúncia total ao mundo material;
* *karma*, ou ação responsável no cotidiano;
* *mantra*, ou sonorização repetida de uma palavra ou frase;
* *hatha*, ou vigor e saúde corporal;
* *kriya*, ou dedicação ao ritual;
* *bhakti*, ou devoção a divindades;
* *jnana*, ou aprimoramento da sabedoria;
* *laya*, ou dissolução com transformação mental gradativa;
* *yoga nidra*, ou utilização dos sonhos; e
* *yoga integral*, ou abordagem atualizada.

Meditação tântrica: kundalini hindu e kundalini tibetana

Originado no Noroeste da Índia no início da Era Cristã, o tantrismo é um conjunto formado por conhecimentos intuitivos, devoção religiosa, ações no cotidiano e ritualismo. Teve seu apogeu por volta do ano 1100. Utiliza a predição e prega a realização espiritual do seguidor no exercício da renúncia, porém inserido na materialidade terrena.

A prática kundalini, um dos ramos do tantra hindu e tibetano rumo à iluminação, visa à obtenção do movimento ascendente da energia interna de cada ser humano. No Ocidente, a prática foi por vezes interpretada de forma parcial, com seu ensinamento reduzido ao processo ritualístico de união sexual entre um homem e uma mulher.

Conforme os ensinamentos kundalini, a concentração e atenção plena durante a meditação dirigem-se para os canais invisíveis de seu corpo e para cada círculo energético interno. Atenta para os polos positivo e negativo da energia vital, ou *prana*, potência que sobe a partir da base da coluna vertebral, culminando no alto da cabeça com a união mística de todo o sistema kundalini. De acordo com seus seguidores, a ativação sinérgica da energia kundalini propicia grande poder de autopercepção e possibilidade de esclarecimento iluminado.

Vale notar que há diferenças entre o tantra hindu kundalini e o tantrismo tibetano. No tantra hindu, o ser humano possui sete círculos energéticos, ou *chakras*, dos quais cinco estão localizados ao longo da coluna vertebral, contando-se de baixo para cima, e são coroados pelos outros dois: um na região interna entre as sobrancelhas e outro na região externa próxima ao topo da cabeça.

Já no tantrismo tibetano o sistema kundalini apresenta somente cinco chakras — mas com o mesmo poder de atuação. Ele reconhece como unidos o que seria o primeiro e o segundo chakras e também o que seria o sexto e o sétimo chakras; daí a redução numérica.

Algumas escolas tântricas tibetanas dão ênfase à meditação e utilizam a visualização de divindades, ora pacíficas, ora iradas. São coloridas à mão ou estampadas em um *tanka* (estandarte de pano ou papel) pendurado em mural ou tripé. A finalidade da concentração meditativa diante do ser divino é a de absorver sua qualidade e característica, bem como receber sua proteção. A ênfase não está na adoração do praticante ao ser superior, mas na absorção dos traços característicos da divindade escolhida.

Meditação no budismo tibetano

A meditação tem grande relevância no budismo tibetano. A maioria das escolas propõe conceitos sobre a natureza da existência e da impermanência, e celebra o *refúgio* (no sentido de adesão aos ensinamentos) como iniciação para o desenvolvimento espiritual e busca da sabedoria. As mensagens têm por base a bondade fundamental que estaria presente em qualquer ser humano, na espera de ser revelada por meio da possível transformação mental/emocional.

O caminho religioso e laico adiciona à meditação a liturgia, as orações, as frases sagradas em murmúrio e contadas pelo manuseio do *mala* (fieira de contas), as oferendas de grãos e as prostrações, além das visualizações e da contemplação das figuras divinas.

Zen japonês

A palavra *zen* significa meditação (portanto, o termo *meditação zen* é redundante e deve ser evitado). Essa escola japonesa, oriunda do budismo chinês em cerca de 1200 d.C., apresenta no Japão duas principais vertentes: *rinzai*, eleita pelos aristocratas e samurais, e *sotô*, de cunho mais popular.

De modo geral, o zen pode trazer extrema rigidez em seus ensinamentos e na postura meditativa, mas por vezes apresenta ao aluno um pensamento caótico e desconcertante. Alguns mestres propõem *koans*, enigmas aparentemente ilógicos e paradoxais, com a finalidade de desestabilizar o condicionamento mental e emocional desenvolvidos desde a infância. Faz parte da didática zen induzir o iniciante à disciplina somada ao espanto.

A prática zen procura despertar a encoberta e verdadeira natureza elevada do ser humano. Utiliza para esse fim diferentes atividades, como a cerimônia do chá, o arranjo floral ou a caligrafia. O treinamento constante de absoluta atenção dedicado à prática do arco e flecha, por exemplo, irá incorporar a *espontaneidade* — só possível após o perfeito domínio da habilidade acompanhado de liberdade pessoal interna. Esse exercício com atitude meditativa aplicado à ação na vida diária oferece confiança e serenidade mental ao praticante, além de calma e concentração em qualquer empreendimento.

Nas tarefas diárias do monastério muitas vezes o zen exige do neófito grande esforço físico e superação de dificuldades. A finalidade da proposta é levar o iniciante a captar de forma direta a natureza impermanente e interdependente do ser humano e da materialidade. Com tal disciplina, será facultado ao monge — ou mesmo ao meditador habitual — alcançar o estado nirvânico. Note-se que *nirvana* não se refere a um local a ser atingido e usufruído, como o céu dos monoteísmos, mas à condição elevada de ser e estar no mundo, possível de ser vivenciada nesta mesma existência.

O zen pratica a meditação sentada em almofada (*za*), a qual denomina *zazen*. Sua postura meditativa, geralmente com olhos abertos ou semiabertos, também apresenta esmero nos detalhes e cuidados com a estética, características recebidas da tradição chinesa *ch'an*. O foco principal dessa meditação é a atenção na respiração e na postura.

Quando em grupo, os participantes são vigiados pelo instrutor, que utiliza uma vara corretiva para encorajar a posição sem falhas ou para combater a sonolência. Os meditadores podem ser colocados em fila; ou em pares, um de frente para o outro; em círculo, mirando o centro; ou voltados para a parede próxima, como se o infinito lá estivesse, o que resulta ficar de costas para o centro da sala e para os demais meditantes.

Meditação chinesa tao

Alguns estudiosos atribuem ao velho mestre chinês Lao-Tse (ou Lao-Tzu), em cerca de 600 a.C., bem como a Chuang-Tse (ou Chuang-Tzu), em 369-286 a.C., os fundamentos e desenvolvimento do *tao-te king*, *Clássico do Caminho e da Virtude*. Em períodos diferentes apresentaram as ideias que formam o cerne do tao: o nada, o equilíbrio de forças complementares feminina-masculina (yin-yang ou escuro-claro), a não ação, sem sugerir estagnação ou submissão, em consonância com a espontaneidade. Propõem ainda seguir a ordem natural da existência sempre em conformidade com a natureza das coisas e de si mesmo, interagindo em harmonia com os eventos.

A ativação dos centros vitais, como a respiração, e a ligação dos pontos anatômicos por meio dos meridianos sempre foram a tônica da medicina chinesa. É lá que se encontram os fundamentos do tao e do processo de alquimia interior que favoreçam a vida longa e saudável e possibilitam o rejuvenescimento. Antigamente, buscava-se inclusive a imortalidade.

A arte marcial *tai chi chuan* reporta-se à mensagem taoísta de o ser humano voltar-se para si mesmo (não se referindo à valorização do ego), e em harmonia com o mundo natural e com os acontecimentos.

Teria se originado em meados de 1600 d.C., ou bem antes, conforme alguns estudiosos, e produziu diferentes estilos, mas sempre com os mesmos princípios. Apresenta a meditação em movimento e considera essenciais as qualidades de quietude, suavidade e lentidão. É geralmente precedida por alongamento, seguida da postura em pé e da centralização interior; depois disso, o praticante senta-se para alcançar o estado vazio. A atividade meditativa completa pode ter a duração de cerca de uma hora e meia.

Meditação do mantra sonoro om
Nos *Chandogya Upanishads* (700-500 a.C.), tradição ária-védica da antiga Índia, encontra-se o conceito abstrato e metafísico de unidade, em que o ser supremo habita a identidade humana. Essa representação é expressa pelo som om, como reprodução da unidade transcendente espírito/mente/corpo. Om é vocalizado de forma concentrada e com duração estendida. Apresenta a grafia *aum*, em que a letra *a* expressa o passado, a letra *u* o presente, e a letra *m* simboliza o futuro; com uma quarta instância, logo a seguir, traduzindo o *silêncio*. Om poderia também simbolizar o som do Universo, sendo utilizada sua vocalização nas diferentes escolas posteriores de yoga para auxiliar na centralização interna e desenvolver foco em um único tema.

Sathya Sai Baba (Índia, 1926-2011), considerado um *avatar*, ou seja, um ser divino descido à Terra, utilizava repetidamente o som primordial om para potencializar as energias pessoais e cósmicas.

Meditação ativa ou dinâmica
Foi criada por Osho (Índia, 1931-1990), nome final e definitivo do antes chamado Chandra Mohan Jain e, em seguida, Bhagwan

Shree Rajneesh, o Abençoado. Apesar de se declarar místico, Osho atacava as religiões. Defendia a liberdade, a saúde mental e emocional e a busca espiritual. Incentivava a riqueza pessoal e o alcance da supraconsciência por meio do ato sexual.

Suas inúmeras palestras sobre humor, amor, sentimentos negativos e relacionamentos adentravam a psicologia, oferecendo a possibilidade de autoconhecimento, por vezes superficial, ou servindo de caminho para mudanças radicais. Utilizava como catarse uma hora de concentração na dança e em movimentos como pular, gritar ou emitir sons cadenciados. A essa atividade dinâmica chamava de meditação.

Meditação do mantra so-hum

Foi utilizada pelo médico hindu Deepak Chopra (Índia, 1947), que despertou grande interesse nos Estados Unidos ao apresentar um tipo de meditação semelhante ao relaxamento. Ouvindo uma música suave e atento à respiração ritmada e calma, o praticante pronuncia mentalmente o mantra *so* ao inspirar e *hum* ao expirar. *So* significa "eu sou", e *hum*, "isso", referindo-se a toda existência sagrada e interligada e interdependente. A postura é confortável, o pensamento é livre e o praticante poderá dormitar no decorrer dos quinze minutos de recolhimento.

A técnica propõe temas para consideração como abundância, respeito à natureza e cuidado na ação e no movimento das emoções e do corpo. Busca a saúde integral (por meio da *ayurveda*, prática terapêutica indiana milenar) e o reconhecimento de que há um poder espiritual superior.

Meditação transcendental ou MT

Forma desenvolvida no século XX pelo hindu Maharishi Mahesh Yogi (1917-2008), a MT volta-se para o Ocidente, buscando estados mentais sutis sem impor uma norma para atingir essa finalidade.

Maharishi propôs a libertação emocional do praticante com a expansão de seu potencial mental. Na autodescoberta interior, acontece a consequente revelação de tendências, de habilidades inatas ou da direção natural de suas ações e pensamentos.

Conforme a MT, ao libertar-se, o sistema corporal e mental do praticante entrará em sincronia harmoniosa. Por meio da meditação, acredita-se que o indivíduo transporá a própria consciência transcendental em direção à consciência cósmica, a Deus e à unidade ou campo unificado, mesmo se não for uma pessoa religiosa. Para tanto, são necessários a orientação de um instrutor de MT e o recolhimento em um lugar tranquilo com regularidade. Então, o praticante senta-se confortavelmente, fecha os olhos e ali permanece por vinte minutos, duas vezes ao dia. Após relaxar por um curto espaço de tempo, poderá valer-se de uma palavra ou mantra secreto escolhido pelo instrutor e informado apenas ao praticante. No entanto, tal mantra ou palavra pode ser deixado de lado caso a mente se distraia com pensamentos livres.

A escola não prega o ascetismo extremo e entende que o adepto não perderá o anseio de progredir tanto material quanto espiritualmente, se assim o desejar. A finalidade da MT em beneficiar a própria pessoa estende-se a todos que a cercam e à humanidade.

APÊNDICE 8. MINDFULNESS

Origem

No Ocidente, na segunda metade do século XX, ramos da psicologia e da medicina voltaram-se para as antigas instruções fundamentais de meditação da Índia e da Ásia. Ao traduzir os textos budistas para a língua inglesa, foi utilizado o termo *mindfulness* para designar as propriedades da mente humana. Assim, mindfulness engloba as qualidades de se ter arguta percepção, observação minuciosa, consciência e atenção plena, seja na ação que se realiza no momento, seja nos pensamentos, emoções e sentimentos.

Em 1979, Jon Kabat-Zin fundou o Centro de Mindfulness da Universidade de Massachusetts (EUA), que implantou o programa de Redução de Estresse Baseado em Mindfulness *(Mindfulness-Based Stress Reduction Program, MBSR)*.

O programa dá grande ênfase à saúde física e mental, tendo como objetivo prevenir, reduzir ou interromper o estresse continuado ou excessivo. Desse modo, o ser humano alcança o equilíbrio emocional/mental em sua atuação diária.

A técnica não estipula treinamento de meditação avançada nem aconselha posturas meditativas semelhantes às tradicionais. Propõe o relaxamento total por meio do escaneamento corporal, ou body scan (apresentado no capítulo 5, "Relaxamento"), e alguns exercícios respiratórios e musculares com base nos procedimentos do yoga.

Semelhante às práticas shamatha e vipassana de meditação, o formato ocidental de atenção plena ou mindfulness também propõe mente calma e visão ampla, além de desenvolver a concentração e a capacidade de estar presente em corpo/mente no local e no tempo.

Ainda como na meditação shamatha e na vipassana, mindfulness promove a aceitação da realidade sem submissão à adversidade, encoraja o aprimoramento mental do participante com a diminuição da autorreferência, incentiva a adoção de valores éticos e morais e revela o conhecimento da conexão ou interligação existente no todo. Propõe acompanhar com satisfação os empreendimentos, tarefas e responsabilidades pessoais, bem como tratar com objetividade e leveza o cotidiano. Ao ampliar a visão de mundo com o máximo de imparcialidade, busca um estado espiritual elevado.

APÊNDICE 9. OUTROS CAMINHOS PARA A TRANSCENDÊNCIA

Rotas espirituais

A realização espiritual e o aprimoramento da própria interioridade podem ser alcançados tanto por meio da meditação quanto de diferentes rotas espirituais — religiosas ou não. Independentemente do percurso, desenvolver o altruísmo e a compaixão, superar o apego egoísta, diminuir a autorreferência e a compulsão à materialidade e ao consumismo são traços comuns e básicos para vivenciar o estado transcendente. Essas atitudes serão válidas para o religioso e para o leigo, seja qual for sua experiência ou seu diálogo interior. Em diferentes jornadas, a condição à transcendência é o uso da atenção plena e da concentração introspectiva.

Apresentamos aqui alguns exemplos dos vários caminhos a serem palmilhados.

Religiões e crenças

A prática religiosa sem fanatismo e obsessão aponta sendas de fé e confiança na possível e transcendente união espiritual com o divino, seja na meditação laica, na meditação religiosa, na oração enlevada ou na crença do sagrado de toda e qualquer natureza. A convicção profunda em um deus, somada à religião abraçada, pode oferecer sentido à vida e criar uma ligação benéfica entre os que professam aquela mesma fé. Quando embasada no altruísmo e no cuidado com o outro, leva ao abrandamento da autorreferência e ao alcance da transcendência pessoal.

Pensamento asiático

A sabedoria apresentada no clássico chinês *I-ching — o livro das mutações* oferece a compreensão milenar sobre a unidade e interdependência de tudo e todos na constante impermanência da materialidade. Oferece a percepção da interligação infinita dos seres e sua transitoriedade. Expõe duas dimensões do conhecimento: o entendimento das partes ou frações e o da totalidade transcendental.

O livro I-ching com 64 hexagramas (coluna de seis linhas, contínuas ou interrompidas, em cada hexagrama) é utilizado para responder à pergunta: "como devo agir em sintonia com a natureza das coisas e em correspondência com o mundo?". As três linhas superiores exprimem os acontecimentos exteriores e as três inferiores representam ou revelam a interioridade pessoal.

Psicologia transpessoal

A psicologia transpessoal nasceu nos Estados Unidos em 1967, como sincretismo de várias escolas psicológicas. Seu principal articulador, Abraham Maslow (1908-1970), propunha a transcendência da psique com a finalidade de conectar-se ao todo. A proposta de conexão holística estende-se ao universo, ao ilimitado. A psicologia transpessoal abriu um conjunto de aspectos vinculados à física quântica e à consciência em estado não cotidiano ou comum; seria uma forma integradora do conhecimento contemporâneo com a espiritualidade. No Brasil, o movimento espírita abraçou esse ramo da psicologia, embora com realce ao caráter mediúnico.

Outra linha da psicologia transpessoal é apresentada no apêndice 8, Mindfulness.

Psicologia e meditação

Aparentemente opostos e incompatíveis, os processos psicanalítico tradicional e meditativo são complementares. Embora a prática meditativa propicie a difícil diminuição da autorreferência e, ao mesmo tempo, a assunção do altruísmo, a análise psicológica confirma o ego em sua validação. Ambas procuram fortalecer a personalidade, sua integração e uma saudável atividade psíquica. Meditação e psicologia, assim, têm como objetivo o equilíbrio emocional, a autoestima, e a lucidez mental nas ações e pensamentos cotidianos. Facilitam a convivência consigo mesmo e com o outro ser humano, e propiciam a conformidade com as circunstâncias, sem submissão. As duas propostas encaminham o meditador e/ou o indivíduo para uma atitude salutar no viver.

Desfaz-se aí qualquer aspecto de antagonismo entre as percepções, principalmente se o narcisismo e o egoísmo forem diminuídos de forma considerável no processo da meditação e da autoanálise.

Símbolos

A reflexão e o pensamento linear são insuficientes para explicar a terceiros a experiência transcendente na meditação. Os símbolos, por sua vez, se prestam bem a essa tarefa. A transcendência poderá se tornar clara por meio das artes em geral, da música, da poesia, bem como da vivência com a natureza.

Como bálsamo sutil, é possível pressentir o estado transcendental no dia a dia ao contemplar um belo nascer ou pôr do sol, ao sermos capturados pela luz outonal ou ao ouvirmos uma música sublime. Indícios de experiência transcendente também são detectados quando compartilhamos sentimentos benéficos e amorosos com parceiros, familiares e amigos.

A percepção elevada que nasce dessas vivências flui como regato cristalino e se revela em instantes de total harmonia interior. É em geral precedida pelo sentimento básico de esperança e confiança no viver, sem derrotismo ou otimismo fantasioso. Acompanhada da sensação de plenitude, a experiência transcendente é altamente benéfica e revigorante.

APÊNDICE 10. ROTEIRO DA MEDITAÇÃO BÁSICA

Material de consulta

Como dissemos no início deste livro, meditar tem algo de aprender a tocar um instrumento. Precisamos de uma base técnica, mas não basta ouvir ou ler a respeito — só o treino assíduo aperfeiçoa a formação. Com a experiência diária, contínua e consistente, você poderá desenvolver o hábito central da meditação: a capacidade de estar focado. Assim, poderá de fato meditar de forma prazerosa.

Neste apêndice, apresentamos um roteiro que consolida o conteúdo visto nas propostas de práticas meditativas. Ele destina-se àqueles que já têm noções de técnica e prática meditativa, mas que ainda precisam de uma referência para sedimentá-la. Se você for iniciante, familiarize-se com as atividades dos capítulos 2 a 8 para, só então, consultá-lo livremente.

Recomendações iniciais

Antes de praticar as atividades aqui propostas, assegure-se de que as condições de local são adequadas e vista uma roupa confortável, com cintura e gola soltas, e de acordo com a temperatura.

Considere usar um *timer* para não ultrapassar os dez minutos de prática recomendados para iniciantes, se for o seu caso. Lembre-se de que no começo esses minutos se referem à prática total, ou seja, à soma do tempo de quaisquer prólogos opcionais, como: relaxamento, alongamento, exercícios de respiração.

Praticantes intermediários podem atingir vinte minutos. Praticantes avançados, após cerca de quarenta minutos a uma hora e meia, intercalam a prática com intervalos regulares de até cinco minutos. Durante qualquer meditação prolongada, sempre haverá sutis movimentos voluntários e intermitentes do corpo para restabelecer a postura e o conforto.

Quem já pratica há algum tempo costuma escutar de parentes e amigos: "Mas, afinal, o que se faz na meditação?". A esta altura você, que conhece a prática básica, poderia responder sem pestanejar: "É só prestar atenção na postura e na respiração e permanecer relaxado". Sim, o essencial está aí; mas, para completar seu treino, vale relembrar algumas recomendações gerais:

Perceba como está o corpo, para só então iniciar as técnicas de alongamento e relaxamento, que são opcionais e também antecedem a meditação.

* Ao praticar a meditação, não critique ou julgue os sons ou demais estímulos do ambiente e das circunstâncias. Constate-os, apenas.
* Foque na respiração e deixe o corpo relaxado, porém alinhado. É um modo eficaz de treinar o cérebro a estabelecer balizas para os pensamentos e evitar distrações.
* Entregue-se ao bem-estar e vivencie o agora. Com isso, você terá a feliz experiência de sentir a respiração natural atuando em todo o corpo, tranquilizando-o e aquietando a mente ansiosa.

Alongamento opcional

Experimente começar as atividades com um alongamento. É opcional, mas de grande auxílio para os iniciantes e até para os experientes, pois oferece flexibilidade, relaxamento e mais foco e atenção à presença corporal.

Sente-se na postura escolhida no capítulo 4 e siga as instruções a seguir.

Alongamento **(relaxa e leva a atenção ao corpo)**		
ITEM	AÇÃO	REPETIÇÕES
Dedos dos pés	Abra e feche.	5 vezes
Pés	Gire lentamente no sentido horário e anti-horário.	5 a 10 vezes
Ombros	Gire em pequenos círculos, primeiro para a frente e depois para trás.	5 a 10 vezes em cada sentido
Ombros	Eleve e abaixe.	3 vezes
Cabeça	Tombe-a lateralmente na direção de um ombro e do outro, devagar e alternadamente.	3 vezes cada
Cintura	Faça uma torção leve e lenta para a direita e para a esquerda.	3 vezes cada, não mais
Olhos	Pisque enquanto movimenta o globo ocular.	Livre

Boca	Movimente a língua, abra e feche a boca e boceje sem ruído.	Livre
Mãos	Entrelace-as e estenda os braços para a frente, de modo a ver o dorso das mãos; então, gire-as, vendo alternadamente dorso e palmas.	Gire as mãos entrelaçadas 3 vezes
Braços	Estenda-os para trás e entrelace as mãos com as palmas convergindo; sem forçar a articulação dos ombros, expanda o tórax por cerca de 3 segundos e relaxe.	Expanda o tórax e relaxe 3 vezes

Respiração consciente opcional

A respiração consciente ajuda o meditador iniciante a certificar-se de expandir o caminho do ar, em vez de movimentar somente a parte superior do tórax. Os praticantes intermediários que já se dedicam à meditação diária e constante podem se valer desse exercício.

Respiração Consciente		
ITEM	AÇÃO	REPETIÇÕES
Inspiração	Inspire profunda e suavemente pelo nariz. Na mesma inspiração e sem quebras abruptas, comece a preencher a base dos pulmões e dilate o abdômen; siga alargando o peito e, por fim, preencha a parte alta dos pulmões.	Faça o ciclo inspiração--expiração de 2 a 3 vezes
Expiração	Expire suavemente pelo nariz, esvaziando os pulmões e contraindo levemente o abdômen.	

Postura, relaxamento e respiração

A meditação em si começa no momento em que o praticante senta, confortável e relaxado, mas com a coluna alinhada, e confere a respiração.

Postura, Relaxamento, Respiração (corpo alinhado e mente focada, mas sem tensão)		
ITEM	AÇÃO	REPETIÇÕES
Respiração	Inspire profundamente e expire lentamente.	3 vezes
	Inspire e expire pelo nariz de forma natural, suave e atenta, observando a entrada e a saída de ar dos pulmões. Este é o foco da prática básica.	Por toda a prática
Postura	Com o topo da cabeça apontando para o teto, aproxime um pouco o queixo do peito; alongue a coluna e descontraia o couro cabeludo e a testa. Mantenha os ombros alinhados e relaxados e o peito alargado, sem rigidez.	Quantas vezes forem necessárias
Olhos	Mantenha-os semicerrados ou abertos e mire um ponto no chão a cerca de 10-20 centímetros.	Por toda a prática
Boca	Deixe-a fechada ou entreaberta, com um leve sorriso.	Por toda a prática
Membros	Verifique se estão confortáveis, dando atenção aos eventuais pontos de tensão e soltando-os, se necessário, com movimentos mínimos.	Por toda a prática

Finalização

Se para dar início à meditação são necessárias algumas atividades para passar de uma condição à outra, o mesmo se dá ao fim da prática. Seja em grupo ou sozinho, conclua a meditação respirando mais profundamente, por duas ou três vezes; então, espreguice o corpo de forma suave, boceje, se for o caso, mas sem ruído, e levante-se devagar, sem desfazer a atmosfera, permanecendo com a sensação agradável que a meditação oferece.

Perguntas frequentes

Por quanto tempo praticar?
A duração da prática total depende da experiência do meditador:
* Iniciantes: não exceder dez minutos nas duas primeiras semanas.
* Intermediários: (duas semanas a um mês) dez a trinta minutos.
* Avançados: de vinte minutos a algumas horas, conforme o propósito. As interrupções ficam a critério do meditador ou, se em grupo, do orientador.

Se iniciante, considere incluir nos dez minutos todas as atividades, como atenção à postura, alongamento opcional, breve relaxamento e respiração consciente. A classificação de praticante intermediário ou avançado depende de autoanálise sincera.

Quantas vezes por semana?
Um pouco todos os dias é melhor do que muito num só dia. O iniciante com dificuldade para desenvolver o hábito da meditação pode fatiar os dez minutos diários em duas unidades de cinco minutos cada, nos primeiros dias de prática.

Qual é o momento adequado?
O mais propício é ao acordar ou antes de qualquer refeição.

Evite meditar depois de alimentação pesada e, *se for iniciante*, não medite após treze ou mais horas de jejum nem antes de dormir. O jejum prolongado pode ocasionar no principiante de meditação alguns clarões de luz ou a visualização repentina de imagens; por sua vez, se tentar praticar antes de dormir, provavelmente adormecerá logo no início.

Onde meditar?
Defina um lugar privativo para colocar sua almofada, banquinho ou cadeira. O ambiente deve ter intensidade média de temperatura e de luz. Certifique-se de que o local é tranquilo, silencioso e reservado. Se a cama for a única opção, não há problema; mas não se deite, ou dormirá.

Incorpore à prática os ruídos inevitáveis do entorno.

Como consolidar a prática meditativa?
Consolidar a prática meditativa requer determinação e paciência. A maior parte dos iniciantes e mesmo dos meditadores com alguma experiência se deparam com obstáculos que ameaçam a continuidade da meditação. Para você superar os obstáculos e usufruir dos benefícios, faça o seguinte checklist:

✓ **Assiduidade**

O compromisso diário, ainda que por poucos minutos, é a melhor forma de o cérebro e o corpo aceitarem a prática meditativa. Assim, os fundamentos se consolidam e os benefícios da meditação se revelam.

✓ **Atenção**

Por definição, a atividade meditativa pressupõe atenção, pois meditar é serenar a mente por meio da concentração em um foco. Desenvolva de modo crescente essa capacidade de atenção plena.

✓ **Foco**

Parece óbvio, mas é preciso ter claro qual é o objeto do foco, tanto na meditação quanto no cotidiano. Ter foco diminui a frequência de pensamentos dispersivos.

✓ **Estar presente**

Estar presente em corpo/mente é uma das maiores dádivas da meditação. A combinação consciente de postura correta, relaxamento atento e respiração natural permite atingir a experiência do agora.

✓ **Superação**

No mundo real, as pernas formigam, a mente se agita, o sono vem, o vizinho faz barulho. Para superar esses obstáculos, constate-os, mas sem julgamento ou crítica; mude lenta e sutilmente a postura, e volte a atenção à respiração.

✓ **Apoio**

Se precisar de apoio adicional, considere retomar o capítulo 8, "Superando obstáculos", e consulte os benefícios físicos e emocionais da meditação elencados no apêndice 2, "Benefícios da meditação".

BIBLIOGRAFIA

ARMSTRONG, Karen. *A history of God. The 4000-year quest of Judaism, Christianity and Islam.* Nova York: Ballantine Books, 1993 (trad. bras.: *Uma história de Deus: quatro milênios de busca do judaísmo, cristianismo e islamismo.* São Paulo: Companhia das Letras, 1994).

BATCHELOR, Stephen. *Buddhism without beliefs: a contemporary guide to awakening.* Nova York: Riverhead Book, 1998 (trad. bras.: *Budismo sem crenças: a consciência do despertar.* São Paulo: Palas Athena, 2005).

CAPRA, Fritjof. *The turning point: science, society, and the rising culture.* Nova York: Bantam Books, 1984 (trad. bras.: *O ponto de mutação.* São Paulo: Cultrix, 1986).

CIANCIOSI, John. *The meditative path: a gentle way to awareness, concentration, and serenity.* Wheaton (IL): Theosophical Publishing House, 2001 (trad. bras.: *Caminhos para meditação. Como atingir a percepção, a concentração e a serenidade.* São Paulo: Fama Editorial, 2002).

COHEN, Nissin. *Dhammapada: a senda da virtude.* São Paulo: Palas Athena, 2000.

COMTE-SPONVILLE, André. *L'être-temps.* Paris: Presses Universitaires de France, 1999 (trad. bras.: *O Ser-Tempo.* São Paulo: Martins Fontes, 2006).

CYRULNIK, Boris; MORIN, Edgar. *Dialogue sur la nature humaine.* La Tour-d'Aigues: Éditions de L'Aube, 2000 (trad. bras.: *Diálogos sobre a natureza humana.* São Paulo: Palas Athena, 2013).

DALAI LAMA, S.S. (Tenzin Gyatso). *The universe in a single atom.* Nova York: Morgan Road Books, 2005 (trad. bras.: *O universo em um átomo. O encontro da ciência com a espiritualidade. Rio de Janeiro: Ediouro, 2006).

DAMÁSIO, António R. *Descartes'error. Emotion, reason and the human brain*. Nova York: Avon Books, 1994 (trad. bras.: *O erro de Descartes. Emoção, razão e o cérebro humano*. São Paulo: Companhia das Letras, 1996).

DANUCALOV, Marcello Árias Dias; SIMÕES, Roberto Serafim. *Neurofisiologia da meditação. Investigações científicas no yoga e nas experiências místico-religiosas: a união entre ciência e espiritualidade*. São Paulo: Phorte, 2009.

DEMARZO, Marcelo; CAMPAYO, Javier Garcia. *Manual práctico — Mindfulness: curiosidad y aceptación*. Barcelona: Siglantana, 2015 (trad. bras.: *Manual Prático Mindfulness: curiosidade e aceitação*. São Paulo: Palas Athena, 2015).

EISENSTEIN, Charles. *The more beautiful world our hearts know is possible*. Berkeley (CA): North Atlantic Books, 2013 (trad. bras.: *O mundo mais bonito que nossos corações sabem ser possível*. São Paulo: Palas Athena, 2016).

ELIADE, Mircea. *Le yoga: immortalité et liberté*. Paris: Payot, 1972 (trad. bras.: *Yoga: imortalidade e liberdade*. São Paulo: Palas Athena, 1996).

ELIADE, Mircea; COULIANO, Ioan P. *Dictionnaire des religions*. Paris: Plon, 1990 (trad. bras.: *Dicionário das religiões*. São Paulo: Martins Fontes, 1995).

FEUERSTEIN, Georg. *The yoga tradition*. Prescott (AZ): Hohm Press, 1998 (trad. bras.: *A tradição do yoga*. São Paulo: Pensamento, 2011).

FREEMAN, Laurence. *Os olhos do coração: a meditação na tradição cristã. Maranatha*. São Paulo: Palas Athena, 2014.

GOLEMAN, Daniel. *Focus*. Nova York: HarperCollins, 2013 (trad. bras.: *Foco: a atenção e seu papel fundamental para o sucesso*. Rio de Janeiro: Objetiva, 2014).

_____. *The meditative mind*. Nova York: Jeremy P. Tarcher, Inc., 1988 (trad. bras.: *A mente meditativa*. São Paulo: Ática, 1997).

GYAMTSO, Khenpo Tsultrim. *Meditación progresiva sobre la vacuidad*. Barcelona: Ediciones de la Tradición Unánime, 1983.

HANH, Thich Nhat. *The long road turns to joy*. Berkeley (CA): Parallax Press, 1985 (trad. bras.: *Meditação andando. Guia para a paz interior*. Petrópolis (RJ): Vozes, 2000).

_____. *Cultivating the mind of love*. Berkeley (CA): Parallax Press, 1996 (trad. bras.: *Cultivando a mente de amor*. São Paulo: Palas Athena, 2000).

HART, William. *The art of living. Vipassana meditation as taught by S. N. Goenka*. Nova York: HarperOne, 2009.

HERRIGEL, Eugen. *Zen in der Kunst des Bogenschiessens*. Munique: O. W. Barth, 2011 (trad. bras.: *A arte cavalheiresca do arqueiro Zen*. São Paulo: Pensamento, 2013).

HOLLINGS, Robert. *Transcendental meditation*. Newburyport (MA): Red Wheel Weiser, 1982 (trad. bras.: *Meditação transcendental*. São Paulo: Hemus, 1983).

JOMIER, Jacques. *Pour connaître L'Islam*. Les Éditions du Cerf, 1988 (trad. bras.: *Islamismo. História e doutrina*. Petrópolis (RJ): Vozes, 1992).

KABAT-ZINN, Jon. *Full Catastrophe Living*. Nova York: Bantam Books Trade Paperbacks, 2013 (trad. bras.: *Viver a catástrofe total: como utilizar a sabedoria do corpo e da mente para enfrentar o estresse, a dor e a doença*. São Paulo: Palas Athena, 2017).

KAPLAN, Ariel. *Jewish meditation: a practical guide*. Nova York:

Schocken Books, 1985 (trad. bras.: *Meditação judaica: um guia prático*. Rio de Janeiro: Exodus, 1996).

MINGYUR, Yongey Rinpoche. *The joy of living. Unlocking the secret and science of happiness*. Nova York: The River Press, 2007 (trad. bras.: *A alegria de viver: descobrindo o segredo da felicidade*. Rio de Janeiro: Campus/Elsevier, 2007).

_____. *Turning confusion into clarity*. Shambhala Publications Inc. (trad. bras.: *Transformando confusão em clareza*. Teresópolis, RJ: Lúcida Letra).

NORMAND, Henry. *Les maîtres du Tao. Lao-Tseu, Lie-Tseu, Tchouang-Tseu*. Paris: Éditions du Félin, 1985 (trad. bras.: *Os mestres do Tao. Lao-Tzu, Lie-Tzu, Chuang-Tzu*. São Paulo: Pensamento, 1993).

OTTO, Rudolf. *Das Heilige*. Munique: C.H.Beck, 1971 (trad. bras.: *O Sagrado*. São Leopoldo (RS): Sinodal, 2007).

RICARD, Matthieu. *Plaidoyer pour le bonheur*. Paris: NiL, 2003 (trad. bras.: *Felicidade. A prática do bem-estar*. São Paulo: Palas Athena, 2007).

_____. *Plaidoyer pour l'altruisme — La force de la bienveillance*. Paris: NiL, 2013 (trad. bras.: *A revolução do altruísmo*. São Paulo: Palas Athena, 2015).

SILVA, Georges da; HOMENKO, Rita. *Budismo: psicologia do autoconhecimento*. São Paulo: Pensamento-Cultrix, 1996.

SMITH, Huston; NOVAC, Philip. *Buddhism: a concise introduction*. Nova York: HarperSanFrancisco, 2004 (trad. bras.: *Budismo: uma introdução concisa*. São Paulo: Cultrix, 2004).

SOGYAL, Rinpoche. *The Tibetan book of living and dying*. Nova York: HarperCollins, 1994 (trad. bras.: *O livro tibetano do viver e do morrer*. São Paulo: Talento; Palas Athena, 1999).

SOLOMON, Robert C. *Spirituality for the skeptic: the thoughtful love of life*. Nova York: Oxford University Press, 2002 (trad. bras.: *Espiritualidade para céticos: paixão, verdade cósmica e racionalidade no século XXI*. Rio de Janeiro: Civilização Brasileira, 2003).

SUZUKI, D. T. *An introduction to Zen Buddhism*. Nova York: Grove Press, 1964 (trad. bras.: *Introdução ao Zen-Budismo*. São Paulo: Pensamento, 2002).

TAIMNI, I. K. *The science of yoga*. Wheaton Adyar (IL); Chennai (India): Theosophical Publishing House, 2010 (trad. bras.: *A ciência do yoga*. Brasília: Teosófica, 1996).

THRANGU Rinpoche, The Venerable. *The open door to emptiness*. Glastonbury (CT): Namo Buddha Publications, 2012 (trad. bras.: *A porta aberta para a vacuidade*. Porto Alegre: Bodigaya, 1997).

_____. *Meditação Budista: Shamatha, Vipashyana & Mahamudra*. Porto Alegre: Bodigaya, 2001.

TOLLE, Eckhart. *The power of now*. Vancouver: Namaste Publishing; Novato (CA): New World Library, 2004 (trad. bras.: *O poder do agora: um guia para a iluminação espiritual*. Rio de Janeiro: Sextante, 2002).

TRUNGPA, Chögyam Rinpoche. *Cutting Through Spiritual Materialism*. Boston (MA): Shambhala, 1973 (trad. bras.: *Além do materialismo espiritual*. São Paulo: Cultrix, 1996).

_____. *Meditation in action*. Boston (MA): Shambhala, 1991 (trad. bras.: *Meditação na ação*. São Paulo: Cultrix, 1994).

WALLACE, B. Alan. *Happiness: meditation as the path to fulfillment*. Hoboken (NJ): John Wiley & Sons, 2005 (trad. bras.: *Felicidade genuína: meditação como o caminho para a realização*. Teresópolis (RJ): Lúcida Letra, 2015).

WALLACE, B. *The attention revolution: unlocking the power of the focused mind*. Boston (MA): Wisdom Publications, 2006 (trad. bras.: *A revolução da atenção: revelando o poder da mente focada*. Petrópolis (RJ): Vozes, 2008).

_____. *Contemplative science: where Buddhism and neuroscience converge*. Nova York: Columbia University Press, 2007 (trad. bras.: *Ciência contemplativa: onde o Budismo e a neurociência se encontram*. São Paulo: Cultrix, 2009).

WALSH, Roger; VAUGHAN, Frances (orgs.). *Paths beyond ego. The transpersonal vision*. Nova York: Tarcher Perigee, 1993 (trad. bras.: *Caminhos além do ego. Uma visão transpessoal*. São Paulo: Cultrix, 1997).

WELWOOD, John. *Toward a psychology of awakening. Buddhism, psychotherapy, and the path of personal and spiritual transformation*. Boston (MA): Shambhala, 2000 (trad. bras.: *Em busca de uma psicologia do despertar. Budismo, psicoterapia e o caminho da transformação espiritual individual*. Rio de Janeiro: Rocco, 2003).

WILBER, Ken. *No boundary. Eastern and Western approaches to personal growth*. Boston (MA): Shambhala, 2001(b) (trad. bras.: *A consciência sem fronteiras. Pontos de vista do Oriente e do Ocidente sobre o crescimento pessoal*. São Paulo: Cultrix, 1998).

WILHEM, Richard. *I Ging. Das Buch der Wandlungen*. Düsseldorf; Köln: Eugen Diedenrichs Verlag, 1956 (trad. bras.: *I Ching. O livro das mutações*. São Paulo: Pensamento, 1996).

ZIMMER, Heinrich. *Philosophies of India*. London; Nova York: Routledge, 1951 (trad. bras.: *Filosofias da Índia*. São Paulo: Palas Athena, 1986).

Este livro foi composto em Versailles LT Std 11/18 e
impresso em papel Pólen 80g/m² na gráfica Pigma.